办公e族瑜伽健康计划

美人瑜伽

瑜伽——办公室里的活力新生

从睡梦中醒来 呼吸一口清醇的空气
感受大自然带给我的愉悦与神奇
瑜伽姿势融合着鸟儿的轻吟
我的心灵获得一种自然的涤净
心灵的世外桃源 没有杂念 没有喧嚣

瑜伽之光 亲吻我最圣洁的身体
我拿着一市文件或者敲击电脑
我是在阅读阳光或者是绘画月亮
我是在设计梦想或者是实现荣光
对肌肉说放松 我看到了存在
对眼睛说放松 我忘却了烦恼

在浓郁的七叶树下
瑜伽的眼神 那样的明亮
从五千年的远方而来
神秘的面纱 看不清她的美丽
我牵着她的手
走过千年的小道
来到我梦的地方
宁静的台阶 千年的故事
我踏过她的足迹
然而此时是那样的清晰
来了 我破茧新生的故事

我闭上眼睛 轻轻的
伸展
原来整个天地都在我的心中

相信自己，相信瑜伽

很久以前，瑜伽是东方圣人和苦行僧们的秘技
如今业已成为常人生活中不可缺少的一部分
古时的瑜伽信徒选择丛林山野进行瑜伽修行
到现在，办公室的地面、墙壁、桌子、椅子……尽是你的瑜伽之地

流传于远古，风靡于现代，瑜伽作为一种生活方式，热度持续上涨，成为都市白领的时尚先锋。有着7000年历史的瑜伽，被当作现代都市第一症候压力的克星，被办公室一族用于塑身、美体，消除精神紧张，达到心灵平和。

美国国务卿赖斯——这位世界上最有权力、也最忙的女人，即使每天要工作14个小时，至少也要锻炼45分钟，其中瑜伽更是她必练的项目。全球最酷最特立独行的企业家、苹果总裁乔布斯在完全沉迷于瑜伽的神奇效能之后，还旅行到印度，探究瑜伽的真相。"英国最聪明的人"、"嬉皮士资本家"、世界各大公司CEO的偶像、维京董事长布兰森，这个常有疯狂举动的"老顽童"也拜倒在瑜伽的魅力之下，借助瑜伽的冥想来舒缓自己每次冒险前的紧绷情绪……全球500强企业，例如沃尔玛、通用、福特、IBM、惠普、花旗、时代华纳等，都用办公室瑜伽来打造高效员工，参加瑜伽训练的人从合伙人到辅助员工都有。甚至一些策划公司还把"帮助企业拓展办公室瑜伽"作为自己的一项新业务。

练习瑜伽并不会受到办公室内时间与空间的限制，不管站、坐、卧，都能找到合适的动作；即使在工作的同时，偶尔也可以一心两用，丝毫不会误事。一把椅子、一张桌子、几分钟的时间，不拘室内、走廊、电梯内……轻轻松松就可以伸展筋骨，治愈和预防职业病，彻底摆脱办公室亚健康状态。

很多人因为事业而牺牲了健康，但是如果失去健康，还是会被事业抛弃。健康也是一份事业！把你的敬业态度COPY一份给你的健康事业，像经营你的事业一样来经营你的健康。要知道，你的魅力、富有、爱情全部都要通过健康来为你兑现幸福。

你忠实的朋友：

PART4　上班族自然·均衡·净化瑜伽饮食 88

Office Workers Nature · Balance · Clean Yoga Diet

YOGA LOLUMN

PART 1

ANCIENT MYSTERIOUS ORIENT PHILOSOPHY OF HEALTH

所有的生命都是一场伟大的瑜伽，
瑜伽就是用生命的和谐律动呼吸。

古老神秘的
东方健康哲学

瑜伽，产生于公元前，
至今已有7000年的悠久历史，
是人类智慧的结晶。
它起源于古印度，
是东方最古老的强身术之一。
它是一种将修炼者个体与宇宙至上本体联结起来，
将修炼者小我与宇宙大我融合为一，
即所谓"人天合一"的方法。

01 Trace the Source of India Yoga
印度瑜伽溯源

瑜伽，梵文Yoga的音译，原出于婆罗门教《梨俱吠陀经》（Rig）。它原本的意思是给牛马套轭，即驾驭牛马，后被引申为"自我调控身心，使身心统一"，后来成为印度教多种修行体系的总称。同时，瑜伽也有"结合、联系"之意，这也是瑜伽的宗旨——为达到冥想而集中意识。古代的瑜伽信徒发展了瑜伽体系，因为他们深信通过运动身体和调控呼吸，可以完全控制心智和情感，以及保持永远健康的身体。

在有文字记载的历史开始以前，瑜伽就已经存在了。据传在7000年前，便有湿婆神（Shiva）发明瑜伽，且盛行于喜马拉雅山地区。考古学家曾在印度河流域发掘到一件保存完好的陶器，上面描画着瑜伽人物做冥想时的形态，这件陶器距今至少已有五千年的历史了，可见瑜伽的历史确实可以追溯到更久远的年代。

据有关资料记载，公元前3000年到1500年之间，居住在高加索北方的阿利安人入侵印度，在印度河上游的旁遮普省定居，发展出独特的阿利安文化，成为印度文明的主流。阿利安人在古印度留下最古老的文献《梨俱吠陀经》（Rig），其后在公元前1000年到500年之间，又留下《娑摩吠陀经》（Sama）、《夜柔吠陀经》（Yaju）和《阿达婆吠陀经》（Athar），形成了古印度的吠陀时期。而这些经典不但成为印度宗教哲学和文学的基础，而且对瑜伽的影响甚巨。吠陀经典（Vedas）中包含了各种"奥义教法"，对瑜伽的理论和方法作出了较为成熟和精要的解释，是古瑜伽理论与实践相互参证的法典。

两千多年前的印度先哲柏坦加利（Patanjali）将瑜伽系统化，编写成了《瑜伽经》（Yoga Sutra）一书，即是为人所知的"Ashtanga瑜伽"或"八支瑜伽"，辑录了完整的瑜伽哲学知识，共有196段经文。Patanjali的《瑜伽经》据考证是目前最权威、深受世界各国瑜伽中心或学校所认同的瑜伽最经典著作。

根据《瑜伽经》记载，瑜伽有不同的修炼方法。于Swami Svatmarama记载的古典文献《Hathapradipika》中，也有详细说明这"八支"（Eight Limbs），即八个达到人和宇宙精神合一的步骤：

1. 自我控制（Yama）：讲求慈悲、不贪婪、正直、纯净、不受欲望束缚等。
2. 遵行（Niyama）：包括洁净身心、知足、克制、修习圣贤古训以及对天地保持虔敬的心。
3. 瑜伽体位法（Asana）：稳定和舒服的姿势。

4. 调息法（Pranayama）：呼吸的控制和能量的处理。

5. 控制感官（Pratyahara）：进行练习语音冥想，收敛感觉，是练习专注力前的预备功。

6. 执持（Dharana）：集中专注力以提升生命之气，是冥想前的预备功。

7. 冥想，即禅定（Dhyana）：以提升生命之气。

8. 入定，或三摩地（Samadhi）：超越意识的境界。当身体和感官静止时，看似在睡眠，但头脑仍保持警惕，亦像清醒的。

《瑜伽经》内有一梵语箴言：Yoga Cittavrtti Nirodha。这四个字解释了瑜伽的精粹：Yoga（瑜伽）、Citta（意识）、Vrtti（各种情绪及倾向）、Nirodha（控制）。人体内的大小、主要及附属腺体有50种，每一种控制一种情绪，诸如生气、恐惧、害羞等等，故此箴言之意即是以练习瑜伽，来使人的意识控制情绪。

由此可见，在这7000年里，瑜伽一直以某种形式存在着。它在古印度婆罗门体系中及印度教盘亘，与印度教和其他的宗教，包括佛教、密教都有着密切的联系，但它不是宗教练习，瑜伽是生理上的动态运动及心灵上的练习，也是一种生活哲学，任何人都可以练习瑜伽。

瑜伽十二大关键词：
health健康、life生命、philosophy哲学、religion宗教、friendship交友、Nature自然、exercise锻炼、sport运动、information知识、diet 饮食、illness疾病、food食物

瑜伽修炼的三层境界

古代瑜伽把物质自然界归纳为三种状态：愚昧无知、激情和善良。

一个人在愚昧无知状态的影响下，就会希望获得如睡觉这种感官享受；而在激情状态的影响下，他可能会让性给他带来快乐；如果他处于善良状态的支配下，他可能会找个幽静的地方平静地过一天。一个人在进行瑜伽练习后，会从处于愚昧无知的状态渐渐地进入到激情的状态下。随着练习的深入，他会逐渐地处于善良状态的控制下，接着他还会超越善良状态的影响而进入一种纯化了的善良状态，瑜伽称这种状态为"入定"。所有瑜伽练习者目前要做的就是尽早地从愚昧无知和激情状态的影响下解脱出来，而实现这一点的方法是以善良状态为出发点，不受控于愚昧无知或激情状态，坚持练习下去，最终超越善良状态的影响。

02 Poses of Yoga
瑜伽体位法

现 代人修习的瑜伽，通常是指瑜伽体位法，
亦即"身体层次的瑜伽"。
瑜伽体位法的梵文为Asana，
其意义为在某一个舒适的动作或姿势上维持一段时间，
藉由一些扭转、弯曲、伸展的静态动作，
及动作间的止息时间，
刺激腺体、按摩内脏，
有伸展肌肉、强化身体、松弛神经、镇静心灵的功效。

在五千年前的印度，一些瑜伽苦修者避居丛林修炼身心。他们发现各种动物患病时能不经任何治疗而自然痊愈，因此当他们学习模仿各种动物的姿势，将此种紧张及松弛的方法运用到人体时，竟然也有意想不到的效果，因此瑜伽体位法中许多姿势，如眼镜蛇式、猫式、鱼式、骆驼式、犬式、蝗虫式、狮子式、孔雀式、龟式、蝙蝠式、鹤式等均以动物名称来命名。这些独特姿势及修正姿势称之为"瑜伽体位法"。后来又出现了一些由瑜伽行者自行体验创造出来的体位法，如肩立式、扭转式等等。

经过几千年的实践与发展，瑜伽体位法得到了不断的充实，现在总结起来共有几种不同的瑜伽体位法命名的形式：
（1）依动物的姿势模仿得来的体位法，如蛇式。
（2）依该动作的功效命名的体位法，如肩立式（全身式）。
（3）依姿势架构特性来命名的体位法，如锄犁式。

传说湿婆神所创的瑜伽体位法原有数百万个，但流传到现今有文字记载的仅数百个，而被现代医学证明具有卓越功效，并被广泛传授的瑜伽体位法大约有80多种。瑜伽体位法的动作包括弯、送、折、俯、扭、抑、屈、伸、提、压等。体位法练习可以除去身体的不安定因素，保存并增加体内生命能量，使之不浪费、不虚耗。体位法也并非做得越多越好，也不在于要与标准姿势一模一样，更不是单纯地拉拉筋骨或依样画葫芦，而是着重在一举手、一投足之间，配合着呼吸，集中意识发挥潜在的想象能力，就是将头、身、心三者同时加以训练。只有静下心来与身体做双向的沟通，才能体会到体位法的妙用。

瑜伽体位法能给你的：

1. 增进记忆力，治疗失眠。

2. 产生日常生活所需之能量。

3. 使人长寿，使肺部有活力。

4. 刺激内分泌腺体，使其正常活动，净化血液，消除疲劳。

5. 使身体柔软，防止虚胖，控制本能欲望，心灵安定，气色好。

6. 放松僵硬的肌肉。

7. 缓解背部、关节和肌肉疼痛。

8. 增强身体力量。

9. 降低压力。

10. 释放能量。

11. 让大脑放松。

12. 使注意力集中、敏锐。

13. 提高身体的敏感度。

修炼瑜伽体位法的三个秘诀：

1. 统一心——统一精神：意识集中于特定点。

2. 统一身——调整姿势：全身重心力量在丹田。

3. 调和息——调和呼吸：呼吸以腹式呼吸，自然深而长。

瑜伽之主——神湿婆

印度教崇拜三大主神：创造之神梵天、保护之神毗湿奴和生殖与毁灭之神湿婆。在形式上三大主神同等受尊敬，但在很多神话中，湿婆被认为是力量最强大的神。湿婆的力量证实来源于苦行的修炼——瑜伽。湿婆是心灵之神，是瑜伽的至高统治者。

当你了解到生命主要元素——神入（Empathy）的意义时，你就能开始了解生命的奥秘。

OFFICE 瑜伽 大发现

我们都是兢兢业业的上班族，
我们都是或轻或重的"工伤"患者。
你的敬业精神和你的一脸菜色都是人尽皆知；
你的出色业绩和病假记录一起留在了人事部；
你好像也没有"生病"，
但还是觉得浑身不舒服、离病不远了……
你就这样日复一日地在健康缺失的情况下孜孜不倦，
使"工作是美丽的"成了一个美好却够不着的梦境。
新派职业关怀着眼于身心健康风潮，
视"健康地工作"为一种生活习惯。
让瑜伽提升你的职业健康系数，
带你进入"越工作越美丽"的至高境界……

01

Popular in Occident, Even the Whole Global

风行欧美，席卷全球

美国《时代》周刊载文：现在，一种新的健身运动突然席卷了美国大陆，影视明星热衷练习，体育明星津津乐道，连最高法院的法官们也爱上了它，这就是瑜伽。在美国，75%的健身俱乐部开办了瑜伽班，共有大约1500万人把瑜伽作为锻炼手段。瑜伽是源于印度的身心合一的古老运动。在印度，人们对身体的认知是由里及外的，注重内在的源动力，而西方的传统是由外及里地认识生命；东方人治病讲究固本还原，而西方人治病只是针对疾病本身。瑜伽注重身体、呼吸和精神的统一。内科医生麦考尔认为，瑜伽并不是一种竞技性运动，不是迫使身体达到某种极限，而是顺其自然。在洛杉机的一家医院里，心脏科医生建议病人参加医院举办的瑜伽训练班。该医院负责人说，接受瑜伽训练的病人的确受益匪浅，他们的胆固醇水平降低，血压下降，血液循环开始改善。2005年3月，美国全国卫生研究院就"身心合一对身体的影响"举办了首次研讨会。麦克阿瑟基金研究会的罗斯博士说："认为瑜伽有用的不是研究机构，而是越来越多的练习者。很多调查表明，练习瑜伽可以帮助人们控制血压、心率以及呼吸。"

随着越来越多的人了解瑜伽，爱上瑜伽，瑜伽也渗入到了美国人的日常工作和生活中。近年来，办公室瑜伽在美国成为一种新风尚，雇主们也意识到很多人都对它感兴趣。加利福尼亚的保险公司Pacificare在一项初步的调查中，有350人表示会在工作间隙练习瑜伽来调整身心；而在美富律师事务所（Morrison Foerster）的洛杉矶办公室，参加瑜伽训练的人从领导层到清洁工都有。

鼓励办公室员工尝试练习瑜伽也正成为很多公司"健康计划"的一部分。"目的是让他们成为生产效率更高的员工，同时也为了消耗更少的医疗保健资源。"PacifiCare的总医务官何先生（Sam Ho）说，瑜伽的其他好处还在于：能够很好地调节员工的工作情绪，让难处理的办公室人际关系都得到了有效的

缓解。一家名为"Yoga Works"的位于加利福尼亚的公司甚至看准了这个商机，它正在纽约推行一项"办公室瑜伽计划"，鼓励公司的领导层关注员工的健康，在办公室里推行瑜伽，并为他们准备相应的简易工具。该计划专为缓解"肢体重复性劳损症"（RSI）和背痛问题而量身定做，Yoga Works希望年底前能在纽约签下50家公司。

Office瑜伽，We all need it!

办公室里，电话铃声此起彼伏，领导斥责不绝于耳；自己面前，电脑速度慢得像蜗牛爬井，未批复的文件堆积如山……身心状态像是即将爆炸的火药桶。写字楼里令人羡慕的金领、白领们，表面上看起来工作悠闲舒适，生活好像安逸充实，眼前身体健康也好像没什么大问题，但背后其实充满着深深的隐忧。

总是感觉呼吸急促、心情烦躁，动不动就想发脾气吗？身为坐坐族的你，有可能与凸小腹、大臀部划清界线吗？长久呆在办公室里，你的皮肤是不是被中央空调"调理"得越来越干燥？当深藏不露的色斑因为办公室内的化学装修涂料、电脑辐射等等的刺激而"浮出水面"的时候，你还能坐视不理吗？办公室久坐少动让你驼背、肩颈痛、两腿胀麻吗？久站的你，感觉到膝盖关节绷紧的弦，一弯就感觉到轻微的疼痛吗？久盯屏幕让鼠标肘、脊椎病、腰椎病已经找上你了吗？超负荷的工作、频繁的加班让你疲劳虚弱、头晕目眩，年纪轻轻就常常感到精力不济吗？……

朝九晚五的Office丽人们可能会用工作忙、没有合适的锻炼方法来为无法健身开脱。办公室瑜伽告诉你：只要一张椅子、一尺见方的空间，再稍稍借用短短几分钟一动，就能告别各种办公室里挥之不去的不适与困扰！

神奇的瑜伽体位法最直接的功能就是可以缓解长期保持同一工作姿态而造成的肌肉酸痛、关节僵硬，消除疲劳，增添活力，让你精神百倍；它还能针对办公室一族身材走样和不良姿势的问题纤体美形，锻炼肌肉，燃烧多余脂肪，美化身体曲线。舒缓的瑜伽呼吸法能调整身心，舒缓压力，改善情绪。

长期坚持在办公室练习瑜伽会给你带来更多的惊喜！它可以明显改善各种办公室职业病的症状，预防各种疾病的发生；加快体内新陈代谢速度，有效排出体内毒素，在促进健康的同时还能美容养颜。

瑜伽让你越工作越精神，越工作越美丽，越工作越健康！

瑜伽的创造者——湿婆神

据传说，掌管生殖与毁灭的湿婆神是瑜伽的创造者。他创造了所有的瑜伽姿势，并把它们传授给他的第一个门徒——他的神妻雪山神女。据说原来有840万个不同的姿势代表了840万个化身，每个人从生死的轮回求得解脱之前必须通过这些姿势。雪山神女出于对人类的怜悯和同情，把瑜伽的姿势传授给了人类。

瑜伽体系

从修行和练功方法上来看，瑜伽分为几个体系：

哈塔瑜伽（Hatha Yoca，又称诃陀瑜伽）是呼吸、身体洁净和各种体格锻炼方法的体系。

智瑜伽（Jnana Yoza）是思考真与假、长久与短暂、生命力与物质等问题的哲学思辨的体系。

八支分法瑜伽（Astanga Yoga，又称王瑜伽）是由呼吸、姿势锻炼、冥想等八部分组成的瑜伽体系。

语音冥想瑜伽（Mantra Yoga）是让练习者进入"忘我"状态的体系。

咀多罗瑜伽（Tantra Yoga）是让练习者保持和利用能量的体系。

实践瑜伽（Karma Yoga）是无私工作和奉献的体系。

爱心服务瑜伽（Bhakti Yoga）是为所有的人谋求物质和精神福利的体系。

人的身体也是一部机器，在你工作的过程中，它也在超负荷地运转。想知道你身体的哪个部位在跟你闹别扭吗？想知道哪个地方的不适正在影响你的工作吗？放松身心，在办公室里做个瑜伽自检吧。瑜伽自检是在运动科学的基础上，通过体位法和呼吸法的配合，借助肌体的感受，抚触自己的身体，触碰身体敏感信号。

脚：身体的支撑点——**站姿绕脚踝** （P80）

如果你感觉踝关节僵硬，脚感觉到疲累，脚趾头甚至都酸得张不开，那么说明你的脚部问题刻不容缓。从心理上来说，每个人的身份感靠脚支撑，就是说脚是否健康关系到我们每个人能不能在职场中"立足"。改善脚部的问题对你的自信心的培养也会起到一定的作用哦！

膝盖：压力感受器——**椅后弓步** （P41）

如果你膝盖关节僵硬甚至会感觉到轻微的疼痛，那表明长期久站让你的膝关节已经受到了损伤。膝盖也是心理的压力感受器，表现你对外在压力的接受和服从意愿，膝盖有问题表明你承受的压力超过了你的承受能力。

腿：人体自我支撑的动力机组
——**椅上劈腿式** （P43）

如果你的腿的分开程度无法达到正常人的水平，甚至大腿内侧韧带有被拉痛的感觉，勉强进行小腿还会抽筋，那么，要注意了！你的腿长期处于疲累的状态，需要好好的修整和调节！大腿疲乏的人，缺乏自我支撑能力。

下腹：本能生命力的源泉——**腰腹弯曲式** （P38）

腹部不适表明你的内脏器官面临着衰竭的危险——骨盆下降，脏器下垂。女性的下腹还代表着母性的包容能力，从心理上来说，下腹的身体感觉有问题表明你不够宽容。

上肢：人际关系枢纽——**曲臂式** （P32）

捏捏手臂内侧的肉肉，有没有发现橘皮组织？或者双臂弯曲的时候，发现肘关节好像不太灵光……上肢的灵活度和力量代表处理人、事、物的能力。上肢运动迟缓不仅仅影响着你的身体健康，还会给上司留下"办事懒散、拖拖拉拉"的坏印象。

肩部：责任感驻扎地——**椅上肩臂式** （P33）

手臂下压有轻微的疼痛感，肩关节僵硬，那就要加强练习了，否则肩周炎、五十肩就会成为你无法摆脱的梦魇。

脖子：思想与身体之间的纽带——**轮盘式** （P73）

如果你的耳朵无法接触到你的肩膀，说明你的脖子已经僵硬得快要变成石头了。对于长期伏案的人来说，脖子是最容易受伤的地方。

头部：人体CPU——**冥想** （P23）

眼皮跳动，要用比较长的时间才能完全静下心来，太阳穴轻微地跳动，头晕健忘，这都说明你用脑过度。运用瑜伽冥想来充分休息你的大脑吧。

Seven Poses of Brief Office Yoga

简易Office瑜伽七招试用期

超负荷的工作量、对你高要求的上司、难处理的办公室人际关系……如山一般重压。没有信心在办公室里练好瑜伽吗？没关系，任何事情都有一个循序渐进的过程，给瑜伽一个"试用期"吧。工作的间隙，遇到身体或心理的瓶颈时，找瑜伽帮忙！

●抛弃网页的折磨

情境：经历过这样的胸闷么？花五分钟的时间才打开电脑并注册，急等着上网，但是网页上的小球转啊转就是转不出想要的网页来，真是胸闷得不得了。趁着老板不在身后的当口，狠敲电脑？与其和电脑发脾气，还不如做两下办公室瑜伽。瑜伽做完，心情好了，你要求的任务电脑也完成了。

动作：十指交叉放在脑后，用力挺直背部，深呼吸。怒火就在你的呼吸里消融了。

●免听语音的啰嗦

情境："你好，我是XX，我现在不在，请……"下次再听到这样啰嗦的语音信箱，不要不耐烦地拼命跺脚，你明明知道这是无济于事的，不如全心全意地做一件事情可以少受折磨。

●关掉声音

情境：其实这些声音是关不掉的，如乱响的手机、传呼机，沿街马路上轰鸣的车喇叭，开会时同事的大嗓门……你唯一能做的就是把自己从这些噪音压力中解救出来。

动作：坐直了，别弯腰，安静地呼吸，闭眼想象从头到脚打量你自己，从头开始，颈部、肩部、手臂，想象自己的眼光像镭射，每到一个部位都注意呼吸，是顺畅，还是滞塞，或是略有不顺。记住不顺畅的部位，重来一次并加大呼吸的力度。

●下午茶的替代方式

情境：午后时分，早上运动后带来的那点精神早已溜走了，转眼到了瞌睡虫报到时间，但是大堆的工作还在电脑前等着你呢。怎么才能让自己打起精神，集中注意力？

动作：伸出你的右手，用拇指按住右鼻孔的鼻翼，只用左鼻孔深呼吸，然后还是右手，伸出食指，按住左鼻孔的鼻翼，只用右鼻孔深呼吸，这样反复。如果你有时间就多做几分钟，如果没有，做满一分钟也就能见效。这是瑜伽练习者沿用了几百年的养生法。

● "影帝"功夫

情境：去复印文件不见得是办公室里最机械或者耗体力的工作，但是你可以在机器自动工作的时候放松一下自己。

动作：等待的时候，双手放在复印机上，头部放低，弯腰，双腿分开站立。如果感到你的背部正在逐渐融化（当然是感觉啦），就表明你的姿势做对了。

● 白鹤亮翅

情境：男士们都喜欢这个动作，不过，帅归帅，做动作需要的场地可就大了，可能会吸引整个办公室的眼球，所以做之前选好时间地点。

动作：手臂分别向两侧伸展，手指笔直伸开，左脚跨出一步，膝盖向外侧弯曲，右腿保持笔直，同时右脚站稳，上身放松，保持呼吸，这个姿势保持一分钟左右，然后换方向。虽然会引起同事侧目，但是pose很酷，最主要的是，对恢复精神非常有用。

● 电梯伸展

情景：每次电梯上下要一分钟，你一天要乘四次电梯，如果每次都利用起来，你一个星期就有20分钟的电梯时间可以做电梯瑜伽了。

动作：背靠电梯的一面，用手撑住这面墙壁保持平衡，抬起右腿盘在左腿上，脚踝对脚踝，想象旺盛的精力正在从你的左脚底升起，然后放松，呼吸，换腿重复。

办公室Yoga Attentions

1. 空腹时进行
最好是在进餐前的1～2小时，当胃处于比较空的状态下，尽量在午餐前或进食下午茶前进行。

2. 以鼻呼吸
基本上要靠鼻子进行呼吸，鼻子可以清除空气中的杂菌、病毒，预防干燥。从平时就注意的鼻子呼吸吧！

3. 避免穿高跟鞋进行
穿着高跟鞋练习瑜伽会有滑倒的危险，不仅影响功效，而且容易受伤，尤其是进行站立的动作时。最好准备一双平底鞋放在办公室，练瑜伽时换上。如果上班时要求穿套装，尽量穿裤子并解开西装的纽扣，使穿着显得宽松一些。

4. 身体状况糟糕时不要勉强
尽自己所能完成动作，不要勉强也不要急躁，以防拉伤。

5. 训练前排空大小便

6. 充分利用办公室内的"瑜伽道具"
办公室内桌子、椅子、墙壁、书籍等等都可以成为瑜伽的辅助工具，随手可得，就地取材，方便实用。这些工具的妙用在于可以增加运动的乐趣，培养身体平衡，快速缓解疲劳感，还能提高瑜伽安全系数，避免你在运动的过程中受到伤害。

PART3

THE WHITE BOOK FOR
OFFICE YOGA BEAUTY

OFFICE 瑜伽丽人の
修炼白皮书

我们睁着眼睛的16个小时里，
起码有8个小时在工作，
2个小时在去公司或者离开公司的路上，
2小时在体会和思考关于工作的点点滴滴。
家门、车门、OFFICE门，
我们是日复一日穿梭于"三重门"的办公虫。
人生的大部分时间我们都奉献给了我们所热爱的工作，
但是该怎么样才能在保证高效率工作的同时
也保住我们的健康、美丽和青春？
不如花几分钟行动起来，
Let's yoga!

一、减压·消疲
Stress Relief . Fatigue Remove

职业充电，Office活力能量瑜伽
Office Vigorous Energy Yoga

高强度、高密度、快节奏的工作，是不是让你透不过气来？每天变化不大的工作，让你如机器般不断重复，又不能容许任何差错；最少八小时的长时间工作，晚上还经常要加班，所以精神萎靡不振，呵欠连天，头晕、乏力是你在办公室里常有的状态；工作上的巨大压力，难处理的上下级关系、同事关系……让你心情焦躁，经常会冲其他同事发脾气，或者情绪低沉、抑郁。一味地强撑下去，不仅身体受不了，就连你的工作都有可能错漏百出呢！不如稍事休息，瑜伽一下。张弛有度，才能保证良好的工作状态和较高的工作效率，还能使紧张的办公室里充满朝气蓬勃的活力和轻松愉快的气氛。

瑜伽体位法 能按摩颈部的甲状腺，甲状腺能调整身体所产生的热量和能量，促进消化及成长。若是甲状腺分泌不正常，身心的健康都会受到严重的影响。如果甲状腺分泌稍微多点，就会感到紧张、易怒、神经质、出汗、失眠；反之，如果甲状腺分泌低于正常水平时，就会疲倦、昏昏欲睡。因此练习瑜伽体位法通过作用于甲状腺能够有效地赶走疲劳、恢复活力。

瑜伽体位法的动作能使身体的每块肌肉、每个骨节、每个内脏都完全地得以放松、舒展，打通血脉和经络，调节各个体内器官，能除去全身紧张的感觉，让你从执著和精神紧张中解脱出来。同时，脑中会产生一种荷尔蒙β内啡肽，能有效地舒缓压力，促进肺部的深呼吸，进而排遣心中的郁闷，舒解心中的不安、焦躁和忧虑。

瑜伽冥想 能很好地调理我们的身心，缓解精神紧张和忧虑，让你达到内心的平和与宁静。

瑜伽的呼吸 有规律、深长，能让我们感觉头脑灵活、体力充沛。

在钢筋水泥的丛林里，让瑜伽来舒缓你的压力，帮你重新找回快乐积极的工作状态。每天10分钟的瑜伽练习，就让你的疲惫一扫而光，也让接下来的工作事半功倍！经过一段由内而外、由外及内的锻炼之后，你会发现自己变得健康快乐起来，疲劳感消失、压力减退、心情平和，不仅让你每天都能量充沛、神采奕奕，而且让你心情愉快，保持职场中的亲和力，重新获得办公室的良好人缘。

呼吸冥想 Breath Meditation

瑜伽与其他健身方法不同，它非常注重心灵的修炼，其最精髓的呼吸调养几乎是静态的，配合呼吸、冥想，能放松减压、调整情绪。

呼吸冥想的最大效果是能找回自我，即向外移动之心，回到心内，作自我对话。只有通过练习，你才能够真切地体会到瑜伽冥想给你的身体和精神所带来的幸福和快乐。在瑜伽的发源地——印度，人们总是在早晨和傍晚时分到河内清洁身体，然后向着太阳坐下，静静地进入冥想。他们不是为了修行，而是为了体验人生之快乐。他们一坐就是数小时，慢慢地融入到大自然之中。在欧美，特别是在美国，练习瑜伽冥想的也大有人在，他们以冥想来调节自己的生活和心情。美国很多企业都动员全体员工工作间隙做呼吸冥想，以保证精神的健康，促进业绩的上升。

结合你的工作环境，我们总结了几种实用的瑜伽呼吸冥想方法，帮助你在工作间隙放松自己、舒缓压力、消除疲惫。

1. 放松呼吸法 Relaxed Breath

方法：背部伸直坐在椅子上，合上或半闭双眼，全身放松，缓慢吸气，然后使劲呼出。每次呼气后，停歇12秒，再重复下一回合的吸气。努力感受呼吸过程，让内心平静。

作用：放松、减压，再度精神饱满地投入到工作中。

适用：部门会议或会见重要客户前。

2. 镇静交替呼吸法 Calm Alternate Breath

方法：坐直，右手大拇指放在右边鼻翼，食指、中指放在鼻梁上，无名指放在左侧鼻翼。压住左边的鼻孔，抬起大拇指用右边的鼻孔吸气5秒钟。放下大拇指压住右边的鼻孔，屏住呼吸5秒钟，然后放开左边鼻孔，吐气5秒。再用左边鼻孔吸气，用右边鼻孔吐气。

作用：能够立刻镇定情绪，保持清醒的头脑。

适用：无法静心思考问题时或做重大决定前。

3. 花茶冥想法 Tea Meditation

方法：为自己调一杯花茶，眼睛微闭，当花茶的香气萦绕于鼻息间时，调匀呼吸开始冥想。努力想美好、和缓的陌生画面：洁白的雪花轻轻飘落，美丽灿烂的日出，海洋上浪花激扬……不要想与自己有关的人或事。

作用：缓解压力，减少同事间的摩擦，保持心情愉快！

适用：情绪烦躁不安时。

*Boleyn*布琳**小叮咛**

● 吸气时腹部鼓胀、肚脐凸出，呼气时腹部往里缩，好像腹肌要与腰椎合二为一。
● 一定要用鼻呼吸，用嘴呼吸的结果是吸入过量的尘埃、废气。
● 切忌在复印机旁练习，你会在吐纳中加倍吸入复印机毒气。

语音冥想 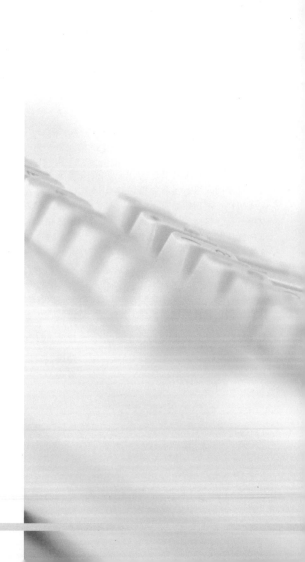 *Voice Meditation*

瑜伽语音冥想又称"曼特拉冥想"。梵语词"曼特拉"可分为两部分:"曼"的意思是心灵,"特拉"的意思是引开去。"曼特拉"的意思是能把人的心灵从其种种世俗的思想、忧虑、欲念、精神负担等等引离开去的一种特殊语言。"冥想"的意思是意念和意境的结合,可以帮助练习者的精神进入到最高境界,有助于身心的协调。一个人冥想时把注意力集中到他的瑜伽语音上,就能逐渐超越愚昧无知等不良因素,而处身在善良品质的高度上。随着不断的深入,最终进入到入定状态。

瑜伽中常用的一种声音是"Om"(欧姆),另一个是"Sat Nam"(萨特·南)——"Sat"(萨特)可于吸气中听见,"Nam"(南)则于吐气时听见。这个音的意思是:"真实是我(我们)的本质。"(Truth is my/our essence.)你也可以直接运用对自己有意义的母语形式,例如"我是,我是"或者"I am,I am"。

另外一种常用的语音是"Aum Hari Aum"(噢姆·哈瑞·噢姆),对于已经有一定的瑜伽基础的练习者来说,这个语音比"Om"(欧姆)的吸引力大。

"Haribol Nitai Gaur"(哈里波尔·尼太戈尔),这个语音的每个部分都有它特殊的含义。梵文中"Hari"(哈里)为壮美、吸引的意思;"bol"(波尔)为语音、说话的意思;"Nitai"(尼太)为永恒、长存的意思;"Gaur"(戈尔)为灿烂纯洁的意思。

还有一个极富浪漫色彩的语音"Madana Mohana"(玛丹娜·莫汉娜),这个语音充满了精神之爱。

练习瑜伽语音冥想非常灵活、简便,没有太多的规定。你可以大声地吟诵,如果怕影响到办公室里其他的同事,你也可以低声地诵念,甚至可以在心里默念;可以坐着念,可以站着念,也可以边走边念;你的眼睛可以是睁开的,可以是闭合的,也可以是半开半闭的;你可以一边吟诵一边倾听自己的声音,也可以自己不念,倾听别人吟诵的声音。不过,不管你练习的方式如何变化,都必须坚持一条基本原则,那就是你的全部注意力要集中在瑜伽语音上,这一点是始终不变的。

瑜伽冥想的目的在于获得内心的和平与安宁，

以致达到无限的精神之爱和幸福智慧。

《薄伽梵歌》第6章29节说，

靠瑜伽阻止狂奔的心意，狂奔之心才会得到降服。

6章18节又说，

习瑜伽者若能控制自己的内心活动，清除一切物欲，
并达到超然，这样，他就是瑜伽的最高境界。

瑜伽冥想对人的健康也产生非常积极的影响。

瑜伽冥想者由于内心更为平静，也会感到自己少一点紧张、怒气等等。

这又意味着，他较少可能患上那许多由于紧张与忧郁引起的疾病。

从某个意义上说，瑜伽冥想是最强有力的预防性医药。

*Boleyn*布琳 小叮咛

以上的冥想功课原则上随时都可以做，在安静的环境效果会更好。力争每天早到办公室
10分钟，在空旷宁静的环境里复习以上功课，一天都会神清气爽！超然物外、集中精力
会起到事半功倍的作用。经过长期训练，你会发现自己的注意力比过去更容易集中了。

二、塑身·纤体
Body-shaping. Slimming

工作着享"瘦"，越工作越美丽
Keep Slim during Work

工作中的你，沉稳干练、雷厉风行，但是，长时间的久坐，脂肪在最不该出现的部位静坐示威，身姿日态臃肿；臀部脂肪堆积；腹部日益体现你多吃少动的"成果"——"游泳圈"越来越厚；再也不敢穿裙子，因为你的"大象腿"真是惨不忍睹……无可挑剔的工作能力，还要加上得体的、让人赏心悦目的仪表。事业第一的你，不要让赘肉成为事业的绊脚石！

瑜伽体位法配合呼吸的律动，藉由一些扭转、弯曲、伸展的静态动作及动作间的止息时间，刺激松弛的腺体，增加释放荷尔蒙，如甲状腺便与身体的新陈代谢有直接的关系，所以能影响体重。体位法在呼吸的配合下使身体不同部位扭动、挤压，能按摩、刺激、激活脂肪和肌肉，改善体质，加快脂肪燃烧。瑜伽的塑身减肥效果不仅明显而持久，而且同时还能美化身体姿势，软化全身僵硬的肌肉，让肌肉线条更流畅，修缮身体曲线；瑜伽体位法还对大脑皮层和皮下中枢、植物神经系统起到很好的调节作用，使控制食欲的摄食中枢功能正常化，防止过度饮食，预防肥胖。

纠正常年累月工作中的不当姿势，瑜伽体位法也是一项很好的选择。办公室瑜伽看上去动作速度比较舒缓，节奏较慢，对柔韧性要求相对较高，能让关节松开，让血液更顺畅地流动到椎间盘，防止它们僵硬和粘连，对已经形成的不良坐姿进行调节和纠正。瑜伽给你带来匀称身材的同时，也让你呈现出不同一般的形体美。

瑜伽呼吸法能通过深呼吸运动增加身体内的氧气吸收量，使得氧化作用增加而燃烧更多的脂肪细胞；按摩腹腔器官，加强胃肠的蠕动及增强胰脏功能，促进溶解脂肪的消化酵素分泌；增强腹肌，去除腹壁脂肪。

瑜伽饮食观要求练习者摄入悦性食物，如水果、蔬菜、豆制品、乳类食品等等。这些食物高纤、低脂，也能有效地防止肥胖。

我们选取最直接、最具塑身效果的瑜伽，科学调配，具针对性地塑造任何你想瘦的地方。暂时放下手中的工作吧，与瑜伽来一个虽然短暂却亲密的拥抱，让你工作美丽两不误！

瑜伽体位法加强了呼吸的作用，体内更多氧气的摄入有利于净化血液，从而对皮肤的净化、色斑的消除、晦暗脸色的改善起到了根本性的效果。针对性的体位法使结肠新陈代谢加强，消除了便秘，既消化了多余的脂肪及囊肿废物，也净化了血液；使肝脏的郁气得以舒泄，对消除色斑意义深远；肾脏功能的加强得以彻底改善面色晦暗阴沉。外展的动作有利于心肺的功能，从而使你气血两旺、面色红润。

瑜伽预热 *Warm-up*

运动的安全性总是我们最先考虑的问题：运动强度、运动心率、运动保护……运动犹如一部运行中的机车，先要预热。即便是办公室中强度不大的瑜伽练习，热身也很重要，就像为你系上运动机车的安全带，让一切改变在安全的状态下发生。

 眼睛

1. 全身放松，头部静止不动，背与颈打直，眼睛平视前方。（图1）
2. 眼睛往上看到最高点后再往下看。重复这个动作10次以上，最后将眼睛闭起来放松30秒，再进行下一个动作。（图2、3）
3. 将眼睛张大，先把眼球转到最右边，然后转到最左边。重复这个动作10次以上，最后将眼睛闭起来放松30秒，再进行下一个动作。（图4、5）
4. 眼睛成对角线移动，先看右上角，然后看左下角。重复这个动作10次以上，接着让眼睛从左上角移动到右下角。最后将眼睛闭起来放松。（图6、7）

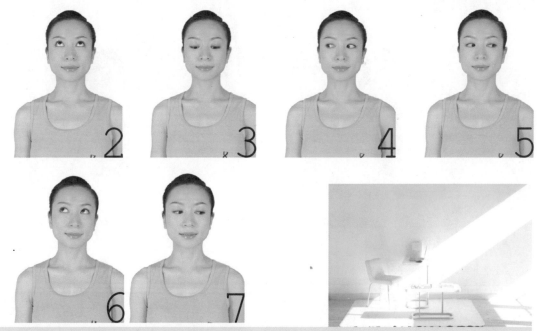

手臂

1. 上身挺直，自然坐于椅子1/3处。（图1）
2. 手臂伸直，十指交叉，掌心向外。（图2）
3. 吸气，双手上举，两眼平视前方。（图3）
4. 吐气，左手带动外拉，眼神随着手移动。（图4）

护胸、后腰

现在把双手反放开，扶在椅后，吸气，头部后仰，挺胸，注意臀部不要悬空。然后，自然呼吸。

侧腰、腰椎转动

回复坐姿，吐气，向左转动腰部，肩膀跟着转动，两臂打直，右手放于左膝前，左手置于椅后。反方向再做一次。

背部

站到桌子边，两脚并拢，弯腰下俯，腿伸直，双手搭在桌沿上，吐气，下压。

蛇式

稍稍靠近桌子，双手扶住桌沿，脚尖踮起，吸气，身体后仰，用腹部尽量去靠桌子。尽你所能维持这个姿势，自然呼吸。

 腿

身体直立，双手扶住桌沿，吸气，脚跟离地，脚尖踮起，保持10秒钟。自然呼吸。

练习瑜伽十大原则：

1．不要躁进　2．不要贪快

3．不要勉强　4．不要灰心　5．不要模仿

6．要亲身体验　7．要持之以恒

8．要加强自信　9．要今日比昨日好

10．要融入生活

臀

1. 吐气，腿部弯曲，重心下移。手平放在桌上，脚保持踮起的状态。（图1）

2. 还原，放松。（图2）

1

2

*Boleyn*布琳**小叮咛**

这是一套连续的暖身动作，可以活动全身的关节与肌肉，千万不要因为时间紧就不做哦。它能有效地帮你预防运动伤害，也能让你后面的瑜伽练习达到更好的效果。

难易度：★

纤细紧实美臂全攻略 *Slim and Sculpt the Arms*

上臂本来就是最容易堆积脂肪的地方，特别是手臂长期得不到锻炼的办公室一族：也许明明不胖，但是手臂却肉肉的；或者韶华已逝，上臂的肌肉由于地心引力而变得松松垮垮、前后摆荡。让瑜伽来助你"一臂之力"，这些都不是问题。相信不久以后，无袖上衣将是夏天里你的最爱。

针对人群：
长期久坐面对电脑的文职人员，手臂因为一直保持放在键盘上的姿势而得不到锻炼。
负责接电话的客服人员或者接线生，手臂长期保持拿电话的姿势而感到酸痛。
适宜场合：
工作间隙，坐在椅子上休息时。

曲臂式
Arm Bent Pose

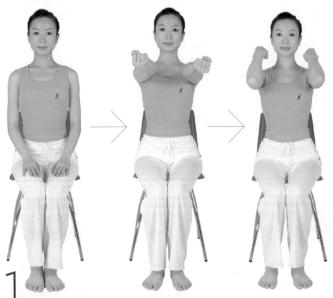

2

吸气，两肘弯曲，手臂呈直角。再吐气，将弯曲的两肘靠向肩部，往内收缩。重复做12次。12次为1回，每天可做2回，放慢速度做效果更好。

功效

手臂抬平，向内收缩会使二头肌屈曲、三头肌伸展，能稳定肩关节，进而雕塑手臂线条。

Boleyn 布琳小叮咛

练习时注意手肘不可移动，弯肘时保持位置与肩同高。可依个人状况，手握矿泉水瓶，增加练习效果。

难易度：★

1

上身挺直，自然坐于椅子2/3处，两脚平行。两臂朝上向前伸直，与肩同高，握拳朝上。此为预备动作，自然呼吸。

椅上肩臂式
Chair Rest Shoulder and Arm Pose

1 坐正于椅上1/3处，挺直腰背。

2 左手肘弯曲，左手掌贴住右边背部，右手握住左手肘处，调整手臂位置，双肩尽量外扩，停留做深呼吸。

3 还原，换手再做一次。

4 左手上举，手肘自上向后弯曲，右手由下向上，绕过背后与左手互握，尽量扩胸挺腰，停留做深呼吸。

5 还原，换手再做一次。

功效
预防脂肪堆积于上手臂处，消除手臂内侧的赘肉，美化手臂线条；促进血液循环，可消除肩颈酸痛，柔软肩关节，预防五十肩。

Boleyn布琳小叮咛
练习步骤4时，初学者双手若无法在背后互握，可借助毛巾以渐进方式练习，切勿勉强。解除肩颈僵痛3分钟即刻起效。

难易度：★★

抗拒地心引力美胸体位法 Achieve Tempting Chest

胸部丰满坚实始终是许多女性梦寐以求的事情，谁都希望自己的乳房看起来既健美，而且健康。瑜伽通过锻炼胸部肌群，让胸部变得紧实挺拔，防止胸部松弛和下垂，同时加强胸部血液循环，以刺激胸腺，从而达到丰胸的目的。坚持练习定能让你上围傲人。

针对人群：
无论你是哪一种上班族，只要你对自己的胸部不满意，就可以抓住每一个机会练习。饱满坚挺的漂亮线条，才能让你昂首阔步、自信满满。

适宜场合：
比较私密的动作，还是趁办公室里没有异性的时候做吧。

合掌推胸式
Closed Palms Pushed Chest

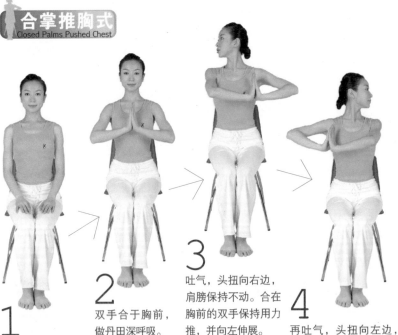

1
坐正于椅上 1/3 处，挺直腰背。双手自然垂放，双膝并拢。

2
双手合于胸前，做丹田深呼吸。

3
吐气，头扭向右边，肩膀保持不动。合在胸前的双手保持用力推，并向左伸展。

4
再吐气，头扭向左边，双手的姿势也相应地向右伸展，动作要领同步骤3。

功效
紧实胸部肌肉，防止乳房下垂，还可以舒缓压力，矫正驼背现象，消除疲劳、提气养神。长期练习绝对是美胸 office 丽人！

Boleyn 布琳 **小叮咛**
将意念力集中于双眉之间的印堂处，呼吸一次比一次缓慢，吐气则比吸气更深长。消除疲劳 5 分钟就见效。

难易度：★

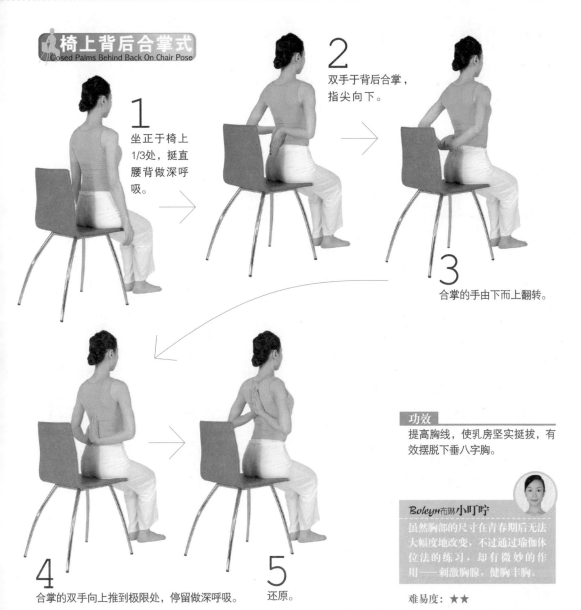

椅上背后合掌式
Closed Palms Behind Back On Chair Pose

1 坐正于椅上1/3处，挺直腰背做深呼吸。

2 双手于背后合掌，指尖向下。

3 合掌的手由下而上翻转。

4 合掌的双手向上推到极限处，停留做深呼吸。

5 还原。

功效

提高胸线，使乳房坚实挺拔，有效摆脱下垂八字胸。

Boleyn 布琳 **小叮咛**

虽然胸部的尺寸在青春期后无法大幅度地改变，不过通过瑜伽体位法的练习，却有微妙的作用——刺激胸腺，健胸丰胸。

难易度：★★

纤腰美腹YOGA方程式 *Own Slim Waist and Charming Abdomen*

盈 盈一握的纤腰风情，婀娜多姿，窈窕动人。腰部曲线是身体曲线美的关键，腰身若恰到好处，视觉上就会给人曲线起伏、凹凸有致的美感。练习瑜伽，燃烧腰腹部的脂肪，再配合立体剪裁办公室套装的收腰设计，突出你的细腰，让你端庄迷人。

针对人群：
伏案工作的办公室坐族，缺少运动，用脑不用力，肢体较难伸
展，腰腹部最容易堆积脂肪，时间长了可就变成个"大腰怪"了！

适宜场合：
工作间隙，坐在椅子上休息的时候，或者站起来四处走动时。

提腿侧腰式
Raised Leg Side Waist Pose

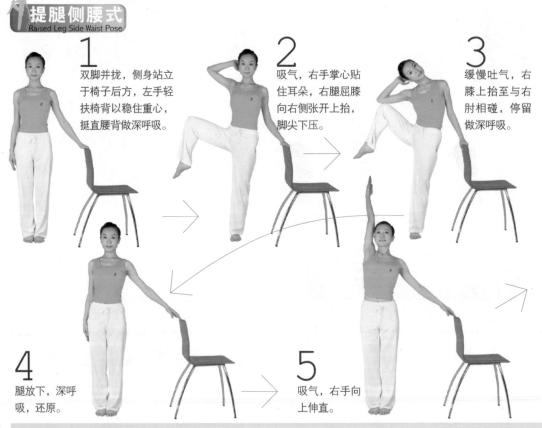

1
双脚并拢，侧身站立
于椅子后方，左手轻
扶椅背以稳住重心，
挺直腰背做深呼吸。

2
吸气，右手掌心贴
住耳朵，右腿屈膝
向右侧张开上抬，
脚尖下压。

3
缓慢吐气，右
膝上抬至与右
肘相碰，停留
做深呼吸。

4
腿放下，深呼
吸，还原。

5
吸气，右手向
上伸直。

6

缓慢吐气时，上举的右手与上半身向左侧弯，停留做深呼吸。

不可思议的瑜伽修行法

在瑜伽的修行中，有很多我们常人看起来无法想象的修行方法，但实际上这些修行方法更多的是注重"意"，而非"形"。

例如有一种"裸头坐法"，是将最下级的贱民的头盖骨、狼或猴的头盖骨埋在土中，然后人再坐在上面做冥想修行。

还有一种"葬坛坐法"，是将尸体火化了后，人坐在残灰上面诵念圣语的修行。更有一种直接坐在尸体上修行的"尸体坐法"。而这一切，都是为了要实践不论何时何地何种场所，都能做最真的冥想的精神。当然，其中也带有克服恐惧的目的。

7

再吐气时，下半身不动，上半身缓慢向前扭旋。

8

上半身扭旋成与下半身成90°（即上半身与地板呈并行线），两眼平视，停留做深呼吸。

功效

可消除疲劳，解除长期久坐的不适感；增加运动量以增强体力及抵抗力，能促进新陈代谢，并有减肥功效；可消除腰腹赘肉，达到纤细腰围的功效。

Boleyn布琳 小叮咛

消除疲劳5分钟内就能起效。练习时体会腰腹伸展的紧实感，腰部肌肉即会有紧致感，长期持续练习，塑形效果更佳。

难易度：★★

腰腹弯曲式
Waist and Abdomen Bent Pose

1

上身挺直，自然坐于椅子2/3处，肩膀放松，两脚并拢，小腹内缩，吸气，双手举高，两手交握，指向天花板。

2

吐气，两手臂贴于耳际，上身向右下压。维持10秒。回到正中央，吸气。

3

换边，吐气，重复动作。维持10秒。

4

吐气，头部向下，两手向前下压。维持10秒。

5

吸气，上身挺直，两肘弯曲，手掌贴附于臀部后侧，吐气。回到开始步骤，重复以上动作。维持10秒。

功效

利用左右前后的压、挺的弯曲动作，紧实腰腹肌肉，预防腰腹赘肉产生，还能缓解肠胃负担、强化胃肾机能，并能改善腰酸背痛、矫正不良姿势。

Boleyn布琳小叮咛

每回可做5～8次，每天可做2回。身体重心放在坐骨上，练习时应感觉手指具有生命力，一直往远处方向拉伸。

难易度：★★

挺翘性感美臀计划 Build Warped Sexy Buttocks

挺翘、圆润、结实是美臀的三大标准，但是久坐的你离这个标准有多远？不要沮丧，百分百美臀计划瑜伽为你全方位打造！选取瑜伽中针对臀部的体位法，强化臀部肌肉，可使臀肌紧实，预防下垂，达到塑臀、提臀的功效，让你轻松拥有完美翘臀！

针对人群：
久坐的你，也许体重计上的数字没有增加，但是屁屁上的肉却越来越松。
扁平、肥大、下垂……不能让这种情况再继续下去了！

适宜场合：
由于这组动作的幅度比较大，所以还是选择空间较宽敞的地方来练习吧。

提臀式
Raised Hip Pose

2 吐气，向后抬右腿，上身保持直立。

3 腿继续上抬，身体下压，保持10秒钟。

功效
收紧臀部肌肉，还可以预防腰痛，对自己的平衡能力也是一种锻炼。

1 双手搭于椅背上，站立于椅后小半步，挺直腰背做深呼吸。

*Boleyn*布琳**小叮咛**
意念集中在臀部收紧的感觉上。练习一段时间，可试着松开双手不扶椅背，加强难度和功效。

难易度：★★

椅后舞蹈式
Back Chair Dance Pose

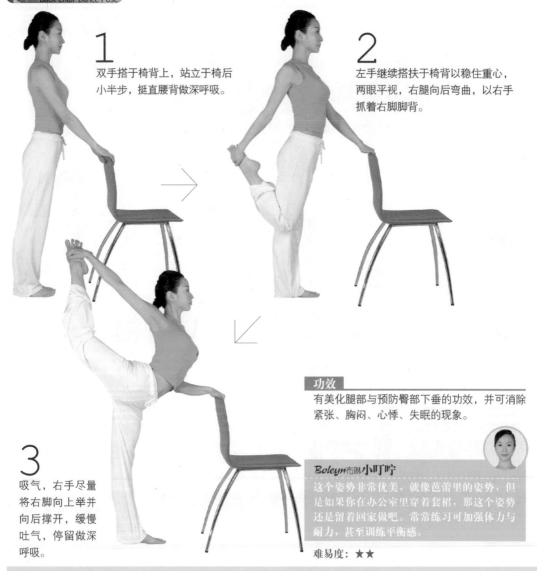

1
双手搭于椅背上，站立于椅后
小半步，挺直腰背做深呼吸。

2
左手继续搭扶于椅背以稳住重心，
两眼平视，右腿向后弯曲，以右手
抓着右脚脚背。

3
吸气，右手尽量
将右脚向上举并
向后撑开，缓慢
吐气，停留做深
呼吸。

功效
有美化腿部与预防臀部下垂的功效，并可消除
紧张、胸闷、心悸、失眠的现象。

Boleyn 布琳 **小叮咛**
这个姿势非常优美，就像芭蕾里的姿势，但
是如果你在办公室里穿着套裙，那这个姿势
还是留着回家做吧。常常练习可加强体力与
耐力，甚至训练平衡感。

难易度：★★

修长挺拔美腿炼成术 *Model slender and straight legs*

双腿的曲线美已是女性身材健美的重要象征，太粗或太细都无法达到美腿的标准。瑜伽美腿椅上组合，能调动腿部的肌肉，通过拉伸动作来刺激腿部血液循环，排出多余水分，消除久坐引起的腿部浮肿，改善大腿曲线，还能活动腿部关节，消除膝盖赘肉。

针对人群：
久坐族，腿部缺少锻炼，脂肪堆积，肌肉松弛。
如果你是久站一族，就认为自己的腿应该没什么问题，那你就错了。美腿的标
标准不仅是没有赘肉，而且腿部线条也要流畅优美。因为久站，腿部肌肉经常
处于紧张状态，时间一长就形成了粗壮的小腿肚，那就很难看了！

适宜场合：
工作间隙，坐在椅子上休息的时候。

椅后弓步式
Back Chair Bow Pose

1
双脚并拢站立于椅子后方，挺直腰背做深呼吸。

2
吸气，右膝弯曲，左腿向后跨一大步。双手握住椅背上方以稳住重心。

3
缓慢吐气，双手平直伸出，上臂轻靠椅背上，左腿尽量往后伸直，停留数秒。

功效
可消除腿部赘肉，预防腿部脂肪堆积，并能增强体力与腿力，促进新陈代谢，防止久坐引起的腿部不适。

Boleyn 布琳 **小叮咛**
练习时，身体重心应放在腿上，上臂轻靠椅上只是帮助身体重心更稳，切勿将身体重心放于上臂。

难易度：★★

椅后摆腿式
Leg Swing Pose

1

双脚并拢，双手自然下垂，面向椅背站立于椅子后方，挺直腰背做深呼吸。

2

上身前倾，双手屈肘，两手轻扶椅背。

3

吸气，右腿屈膝，上身前弯至与左腿成90°垂直，下巴靠着椅背，吸气。

5

右腿膝盖伸直向后方尽量踢高，缓慢吸气，眼向上看。

功效

柔韧腿部肌肉，缓解腿部疲劳；柔软脊椎，使身体富有弹性，促进全身血液循环，强化体力。

Boleyn布琳 小叮咛

每天重复练习3～5回，持续1周，腿部肌肉即会有紧致感，长期持续练习，塑形效果更佳。

难易度：★★★

4

吐气，头朝下，右腿上抬至膝盖与额头碰触，使背部尽量弓高。

椅上劈腿式
Chair Rest Wide Leg Pose

1

双手叉腰坐在椅子上，双脚张开，脚尖及膝盖朝外，脊背挺直，下巴微收，眼睛凝视前方，自然呼吸。

2

双手左右展开，手心向下。将脚尖踮起，伸展十字韧带，停在这个位置做三次深呼吸。

3

把椅子换个方向，面向椅背坐下来，双手扶住椅背，双脚脚板平直地放于地上。

4

吸气，双腿膝盖打平向左右伸，脚尖下压。

5

慢慢吐气，双腿尽量向上抬高成一直线，停留做深呼吸。

功效

消除大腿内侧赘肉，美化下半身曲线，活动踝关节，缓解久站之后腿部的紧绷感。通过踮脚的动作拉伸腿部韧带，软化肌肉，防止静脉曲张。

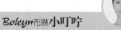

*Boleyn*布琳**小叮咛**

注意脚部的动作，感觉踝关节的活动。

难易度：★★★

水静禅心，Yoga成就美丽与健康 Achieve Beauty and Health

在高楼林立的城市间行走，健康会成为我们最大的问题。你有没有发现，我们总是被工作缠身，免疫力下降，肌肉紧张不适，脊椎麻木酸痛，失眠使夜晚变得特别漫长……

你是否渴望能有那么一个时刻，让身体彻底放松、舒缓，享受一缕轻风带来的闲情雅致，享受真正由内而外的健康？你渴望的这一切，都将会由瑜伽带给你。瑜伽，其实与医学息息相关。它们都将人的身心状况与自然联系起来，有着异曲同工的效果。瑜伽倡导呼吸、生活和运动，符合本真的自然。卸下所有的负累，凝神、吸纳、伸展，每一个姿势都成了自然的语言。

瑜伽练习对一个人的呼吸系统、神经系统、消化系统都非常有益。瑜伽练习可以使你做完器械后的肌肉放松下来，帮助舒展肌肉线条。在深长的呼吸、轻盈的舒展中，唤醒身体沉睡的能量，促进生理与心理的和谐与健康。现在，就让古老的瑜伽帮你熄灭健康隐患亮起的红灯，闲适优雅地舞动身体，从肌肤到骨骼、从头顶到脚底、从神经系统到消化系统，都感受前所未有的放松和健康。

消化系统

都市女性，咖啡、压力早已是我们生活中的必需品，再加上酒、香料等食物的刺激，精神过于疲惫，以及饮食不规律等因素，我们的消化系统便会出现各种各样的问题。瑜伽可以令我们的消化系统变得更加健康，适合的瑜伽体式不仅能保持腹部肌肉强壮有弹性，对消化器官有效自动按摩，还能对腹部肌肉进行特殊、强迫、有力的内部按摩，使内脏各就其位，保证正常的消化和吸收。

神经系统

神经系统最重要的部分就是大脑，其次是脊髓和交感神经髓。不同的神经从大脑和脊髓发出，不断分叉，遍及全身。适合的瑜伽体式不但能满足组织健康所需要的生理条件，不断供给合理的营养，使得各种废弃物能够有效地排出体外及保持所有的神经连接功能正常。这些条件都满足，人体组织才会健康，并产生机体的最大活力。

呼吸系统

呼吸系统除了负责吸入我们生命中赖以生存的空气外，还担负着保护肺免受外来有害物质侵袭的责任。当人体缺乏适当的营养和锻炼时，呼吸系统的免疫机能就不能发挥正常的作用。然而，在日常生活中，这个重要的系统常常因为得不到适当的营养而变得支离破碎。要想使我们的呼吸系统强健起来，我们就必须保证充足的休息和一定的运动锻炼。推荐瑜伽疗法——站立拉弓式：伸直你的脊骨，挺起胸和肩膀，徐徐而深入地吸气让空气直至肺的底部。这个动作让血液充分流向内脏和腺体，并可以有效促进心肌及肺部的机能，使胸腔得到很好的锻炼。

三、健康 · 理疗
Health . Physical Therapy

登上办公室健康快车，绝缘文明病
Far Away from Civilization Diseases

"总是盯着电脑，我的眼睛无奈成了身体最薄弱的环节。"

"总是坐着，这严重地伤害了我的胃。"

"花时间来努力让自己入睡是一种浪费，但睡眠不足、失眠又是一种慢性自杀。"

"在办公室里总是觉得腰酸背痛，下了班都缓不过劲来。"

"在开始办公室瑜伽之前，我的身体就像纸糊的。"

办公室里的白领一族苦不堪言！眼见着你的健康一点点地被吞噬：初期只是脖子、肩膀僵硬酸痛，头痛、视力减退、腰酸背痛等等，拖延下去便秘、肠胃病、神经衰弱、失眠、内分泌失调、颈椎病、腰椎间盘突出症、腰肌劳损……就会找上门，到最后甚至造成无法挽回的局面。

瑜伽体位法通过全身的肌肉及关节活动，能缓解肌体本身的疼痛，活络全身筋骨，促进血液循环，改善关节灵活性，还能通过缓和的动作按摩内脏，强化脏器功能，促进体内自然循环，预防疾病。

体位法能使各个腺体的分泌作用趋于平衡，其中大量的弯曲动作可以按摩神经内分泌腺，如甲状腺、肾上腺等。腺体分泌正常了，许多疾病就能迎刃而解，还能强化淋巴系统，提升免疫力，从根本上改善体质。

体位法的另一显著功效就是能平衡自律神经。身体的活动，如内脏、血管、荷尔蒙、皮肤等，皆靠脊椎内的自律神经来支配。自律神经的平衡强化对于神经官能疾病的预防和治疗有着举足轻重的作用。

瑜伽呼吸法为身体提供充分的氧气，提升肺活量，有效预防呼吸道疾病，还能让呼吸自然、心律变齐，甚至连脑波都变得有节奏。瑜伽使人心境平和，少有激动，因此患高血压和心脏病的机率大大减少。

放下手头的工作，抽出20分钟的时间，做做这套专为办公室人员设计的理疗瑜伽。它们简单易学，重点在其舒适性，在舒缓身体各项不适的同时，科学地促进身体健康。长期坚持，你会发现连工作都变成一种享受了呢！

打造善睐明眸 *Build Attractive Eyes*

长 时间对着电脑的文字工作者，有没有感觉到眼睛干涩、视线模糊？电脑里的一个个文字变得像小蚂蚁一样，在眼前爬来爬去，弄得自己心烦气躁，而且眼镜度数一路攀升，结膜炎也找上你了！没关系，借助于这套简单的瑜伽动作，缓解眼睛疲劳，配合适度的远眺，让心灵的窗户一直保持明亮！

椅上敷眼式
Chair Dance of Eyes Pose

2

闭起两眼，手掌微有热度，将两手举起，手掌贴于双眼，眼球上下左右绕圈转动，左各各绕5圈（动作时，连续做深呼吸）。

功效

透过热能按摩配合眼球绕圈动作，促进眼部血液循环，改善眼睛酸痛不适，还有灵活眼球、放松眼球肌肉的功效。

1

上身挺直，自然坐于椅子2/3处，两肩放松，小腹内缩，两手举至胸前，手掌合十摩擦。此为预备动作，自然呼吸。

Boleyn 布琳**小叮咛**

每回可做5次，每天可做3回。练习时，尽量将手掌搓热。练习时将手轻放于眼部，不宜过度施力。

难易度：★

找回优质睡眠 Get Back High Quality of Sleep

据调查表明：约有三成的上班族有睡眠障碍，有时失眠，有时睡眠质量不高。晚上躺在床上身体喊累，脑子却非常清醒，以至白天萎靡不振，工作效率如何能提高？要想睡着，先放轻松。这一组瑜伽体位法能有效地缓解用脑过度，让你晚上更好地入睡。

灌顶式
Head Beating Pose

1 坐正于椅上1/2处，挺直腰背，双膝并拢。

2 双手握空拳，置放于头顶中心点之百会穴上。配合自然平顺的深呼吸，双手左右轮流击打百会穴。击打过程中配合呼吸。

澳大利亚卫生健康组织调查研究结果显示：小睡10分钟能改善随后3小时的工作，而且能明显降低出错及事故的发生率。人们实际需要的睡眠不如我们想象得多，

6～7小时就已足够，
重要的是睡眠的质量。

功效

可刺激头顶穴道，预防失眠、头痛、头昏，还能提神醒脑、消除疲劳、养颜美容。

Boleyn 布琳小叮咛

练习5分钟以后就能感觉入睡变得简单了，连续练习5天以上就能见成效哦。

难易度：★

瑜伽睡 Yoga Sleep

现代社会人的压力越来越大，睡眠透支已经成为一种都市流行病。中午休息时，也就是下午1点至3点之间，打个盹，无疑是个补充睡眠的好办法。适当的午休能让整个漫长的下午变得轻松起来，但是可恶的是短短的午休时间无法让自己很快地进入睡眠状态。没关系，瑜伽来帮你的忙！

方法A：

1. 采用站姿或坐姿，保持脊柱挺拔，身体其他部位放松，注意力集中于呼吸，看着手表，吸气两秒钟，呼气四秒钟。开始时可能会感觉憋气，放松一会儿，舒服后再继续。呼气速度放慢，吸气三秒钟，呼气六秒钟。如未感觉心跳加快、呼吸不适等症状，还可以放慢，只要是掌握好呼与吸的比率始终是1：2……睡着了吗？

2. 在1：2呼吸的同时练习喉呼吸。呼时，注意力集中在喉部位置，喉咙发出声音，体会空气流过喉咙的感觉。呼吸逐渐变得柔和、深长、缓慢。

方法B：

跪坐在椅子上，膝盖并拢，两脚大拇指相对，脚后跟分开，臀部坐在两脚掌之间。脊柱挺拔，身体放松，双手放松在大腿上。闭上眼睛，集中注意力体会空气流过鼻孔的感觉。睡着了？好好休息吧。

"肩挑天下事"，改善颈肩酸痛 *Relieve the Ache of Neck and Shoulder*

长期伏案写字、打字的办公室一族，最容易肩膀酸痛。脖子和肩膀长期处于一种固定的姿势，因而会造成肌肉的紧张、僵硬、淤血，导致颈肩酸痛。常此下去，颈部肌肉就会变成硬块，稍微触摸就会感到疼痛。在恶化之前，赶快找瑜伽帮忙吧。

颈椎伸展
Extended Neck

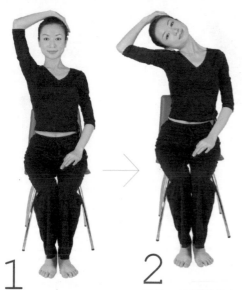

1 上身挺直，自然坐于椅子2/3处，两脚打开与坐骨同宽。小腹内缩，左手轻放于大腿上，右手举起弯曲，放于头左侧，吸气。

2 吐气，右手微微施力，放于左耳上方，将头部向右下方侧压，感觉颈部有拉紧感，吸气，维持此姿势5~10秒。

3 回复到步骤1的姿势，左右手交换，左手举起放于头右侧。

4 左手把头往左下方侧压。

5

回复坐姿，小腹内缩，吸气，两肩
上抬。

6

吐气，两肩向下压，肚子收缩，
感觉头顶向上延伸。

7

吐气，两肩平行后移，感觉胸口
打开、胸骨挺起。感觉肩胛骨后
绕，有紧实感。手臂带动肩膀顺
时针画圈。

8

逆时针画圈。

功效

通过伸展颈椎下压的动作，训练肩颈周围的肌肉群，能有效
松弛颈部肌肉，放松脊椎，缓解肩颈疼痛不适。利用肩膀下
压后绕的动作，强化肩、颈部肌肉的力量，能改善计算机桌
前长时间工作造成的颈肩肌肉紧绷酸痛，并有强化肩颈肌肉
的力量。

Boleyn布琳 小叮咛

练习时，尽量让头部的力量带动颈肩部的伸展。身体直立，
手握力道需适中，勿猛压脊椎。全程背部宜打直，不可弯腰
驼背；双手后移时，使肩膀与耳朵之间的距离尽量拉长。还
可以手拿矿泉水瓶增加练习效果。

难易度：★★

告别"key board手"，预防肌腱炎 *Prevent Sinew Agnail*

长期摸鼠标，长期敲击键盘，没有外伤，只是感觉手麻木，反应迟缓，手关节长期、密集、反复和过度活动，逐渐演变成了肌腱炎。这种病也被形象地称为"key board手"。练习下面几个瑜伽动作，对预防肌腱炎有很大的帮助。

抖手拉手式
Shaking Hand in Hand Pose

1 坐正于椅上1/3处，挺直腰背，双手手掌竖起向前平伸。

2 吸气，手掌用力向外推。缓慢吐气，手掌用力下压至与手臂呈垂直，来回做数次。

3 放松手掌、手腕，用力抖动双手并放松。

4 回复坐姿，挺直腰背，左手平直前伸，手心向上。

5 吸气，右手将左手手指一根根往后扳拉紧，拉紧时吐气。

手部特写

6

右手将左手掌往下扳成与手臂成垂直，停留做深呼吸。换手再做一次。

功效

可预防手部肌腱炎和手指抽筋，消除手指、手腕疲劳，增加手部筋骨弹性，预防keyboard手，促进手部血液循环，纤细手指。

*Boleyn*布琳 **小叮咛**

缓解手部疲劳1分钟立即有效，要改善肌腱炎则至少需持续练习3天以上。

难易度：★

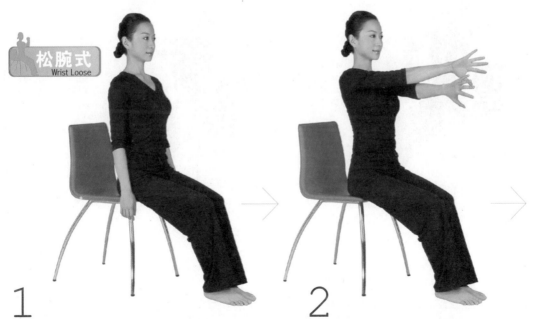

松腕式
Wrist Loose

1

坐正于椅上1/3处，挺直腰背，做深呼吸。

2

吸气，两手伸直，手臂交叉，两手大拇指向下。

3
右手上左手下十指交握。

4
缓慢吐气，将交握的双手由下往内翻转。

5
伸直双手，停留做深呼吸。

功效

可柔软手腕，增加手部灵活性及促进血液循环，预防手部肌腱炎，消除手部疲劳，还能预防手腕部位皱纹的产生。

*Boleyn*布琳**小叮咛**

缓解手部酸痛3分钟即刻起效，持续练习5天以上可有效预防肌腱炎。

难易度：★★

与电脑和平共处8式  *Eight Ways to Keep Peace with Computer*

有 一个简单的判断方法：当你用电脑完成工作后伸直双手十指，若指尖有抖动的感觉，背部又时不时感到麻木，那么就是"讨债鬼"——肌腱炎快要来了。

1. 手挥琵琶：使用电脑前先为手指做暖身操。用力握拳持续10秒钟后放开，然后再让十指全力伸展持续10秒。如此反复10次，可以增加肌腱的柔软度。

2. 临风玉树：要坐在电脑屏幕及键盘的正前方，同时注意身体自然挺直，略微前倾，双脚踏地，膝盖高度略低于髋关节。

3. 垂手而治：研究认为腕管内压力改变也是正中神经发生慢性损伤的原因。腕管内压力在过度屈腕时为中立位的100倍，过度伸腕时为中立位的300倍。因此要注意键盘勿放置过低，高度以能使手臂于自然下垂的状况下使用为准，而前臂与手腕角度最好呈平行。如果伸屈角度过大，容易造成手腕、手肘部位的肌腱发炎。

4. 敲山震虎：不要过于用力敲打键盘及鼠标的按键，力道轻松适中即可。

5. 尺寸之争：理想的办公桌面的高度离地约66至81公分，键盘高度约68至78公分，屏幕高度约84至106公分，眼睛到屏幕的距离约38至76公分。

6. 李代桃僵：放置一块鼠标垫可以减轻手肘的压迫感，有助于预防腕管综合症。另外，敲击键盘时让手腕有个稳妥的依靠，避免悬空，也能减少患病的可能。

7. 以逸待劳：对于患病初期症状较轻的"鼠标手"来说，休息是最重要的。建议你每使用1小时电脑，就停下来休息10分钟左右，做手臂、手指的伸展或是一些弯腰、扭身、转头的运动。长时间打字后要进行一下手部按摩活动，例如将手指用力向手背方向扳，这样可以缓和打字时手指因向下的固定姿态而造成的暂时性手指脉络麻木。如果手部的不适感比较强，你可以用冰块冷敷，记住，热敷会加重病情。

8. 利我兵器：一些欧美品牌的鼠标设计更贴近西方人的大手或超大手，所以它们都呈弓背形，并且屈度相当大，这样便于大手放上去之后更为舒服。可是东方人，尤其是东方女人的手相对秀气，手心较浅，如果使用弓背形鼠标，在按动鼠标按键时，分布于人的手掌心边缘给手供血的动脉血管刚处于受压状态，时间长了会导致手指缺血而产生麻木感。现在已有台湾及日本厂商专门针对亚洲人手形的工程学原理设计出了一些鼠标，流线非常平缓，手放上去之后所有的部位都能得到放松，在购买鼠标时不妨睁大眼睛选一选。

伸展肢体，舒缓腰背痛 *Relieve Problems of Waist and Back*

我们已经习惯了扛着我们那超负荷的背从家到办公室、到谈判桌前，我们总是习惯了后背有时僵硬、有时麻木、有时沉重、有时隐隐作痛、有时痛不欲生，这种疼痛在积蓄或者预谋着有一日摧毁我们的健康。瑜伽，缓解腰背部疼痛的良药。

平行转体
Parallel Twist

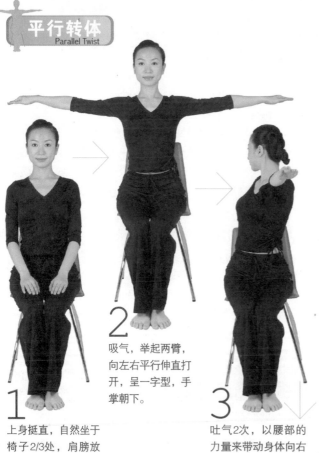

1 上身挺直，自然坐于椅子2/3处，肩膀放松，与髋骨同宽，双手轻放于两腿上。此为预备动作。

2 吸气，举起两臂，向左右平行伸直打开，呈一字型，手掌朝下。

3 吐气2次，以腰部的力量来带动身体向右后方旋转。

4 回到步骤2，吸气。

5 吐气，换边，重复以上动作。

6 回到起始准备动作，放松。

功效

小腹内缩、身体延伸加上旋转动作，有效缓解背部疼痛，强化脊椎，紧实背、腹部肌肉，消除体内浊气。

Boleyn 布琳 **小叮咛**

一左一右为1次，每回做6次，每天做一回。练习时，臀部需保持固定不动，背部全程挺直，不可弯腰驼背。

难易度：★★

不要 "S" 形腰椎 *Far Away From S Shape Lumbar*

腰椎处于脊椎的最低位，负荷相当大，最容易受损。久坐、长期保持同一姿势，会导致血液循环不畅，造成腰椎间盘突出；工作超时，长时间坐办公室会让始终紧张的肌肉反向牵拉……长此以往腰椎病是必然的结果。

脊椎旋转
Spine Rotation Pose

1
头部放正，双眼平视前方，下巴微内收，抬头挺胸，小腹内缩，肩膀放松。吸气，两手合十，举高指向天花板。

2
吐气，将举高的手放下，置于胸前，上半身下降，两膝弯曲，呈蹲坐姿势。

3
吐气，以腰部力量扭转身体，同时带动合十的双手斜向右后方。

4
吸气，回到步骤2的姿势。

5
吸气，换个方向重复动作。

6
吸气，回到步骤1起始动作，放松。

功效
利用双手合十推向斜后方的动作，强化腰部的扭动力量，有紧缩腰部肌肉的作用，防止脊椎变形。

Boleyn 布琳 小叮咛

练习时，尽量保持背部挺直的状态。扭转时，要夹紧腿与手才能发挥最大的效果。

难易度：★★★

按摩脏器，调整骨盆 *Rub Viscera down, adjust pelvis*

忙碌的工作让你的生活缺乏规律性，心浮气燥，呼吸短而浅，以至横膈膜较弱，使内脏有下垂的趋势。内脏如果下垂，那么骨盆就会升高，使身体的重心向上移，以至腰部乏力。让我们借助瑜伽摆脱这个可怕的病症吧。

深蹲式
Deep Squat Pose

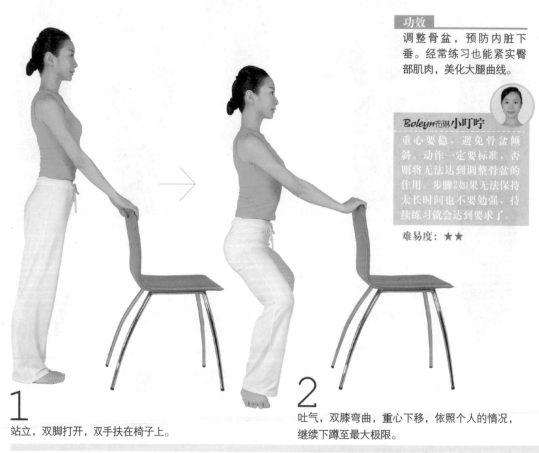

功效

调整骨盆，预防内脏下垂。经常练习也能紧实臀部肌肉，美化大腿曲线。

*Boleyn*布琳**小叮咛**

重心要稳，避免骨盆倾斜。动作一定要标准，否则将无法达到调整骨盆的作用。步骤2如果无法保持太长时间也不要勉强，持续练习就会达到要求了。

难易度：★★

1
站立，双脚打开，双手扶在椅子上。

2
吐气，双膝弯曲，重心下移，依照个人的情况，继续下蹲至最大极限。

安坐无忧，预防坐骨神经痛 *Prevent Sciatica*

久坐、坐姿不正，再加上长期穿高跟鞋，使得坐骨神经痛已经成了最常见的"办公室病"。大腿后侧隐隐作痛，一阵剧痛从你的臀部如闪电般掠过，直达一侧的腿部和足部，让你站也不是，坐也不是！这是很多久坐族面临的问题，一旦患上坐骨神经痛，你的事业等于说就毁掉了一半！所以，更要防患于未然。

坐姿弓箭步
Seated Bow and Arrow Pose

1 吸气，上身挺直，自然坐于椅子2/3处，两脚打开，两手举起，左右交叠于胸前。

2 吐气，身体向左旋转，同时左脚跟顺势抬起，感觉臀部有紧实感，身体呈弓箭步。

3 双手向上伸直，双手合十，维持3个呼吸。

4 回复到起始动作。

功效

增加髋关节的柔软度，促进臀部血液循环，活血散瘀，散寒通络，除痹止痛，还能训练臀部肌肉，紧致臀形。

Boleyn 布琳 **小叮咛**

一左一右为1次，每回可做6次，每天可做1回。以腹部为施力点，注意身体不要晃动。骨盆连接大腿处会有伸展感，膝盖如有负担或压力，可将肚子收紧会更好，可减轻膝盖的压力。

难易度：★★

5 换个反向，再做一遍。

活血清淤，缓解腿麻抽筋 *Relax Leg Lull and Cramp*

久 坐会使腿部血液流通不畅，血液里的含氧量也不足，长期下去，会让腿部浮肿、小腿抽筋，静脉曲张也会找上你哦！工作间隙，练习一下瑜伽姿势，缓解腿部的压力，消除麻胀的感觉。

踩车式
Step-on Pose

1 端坐于椅上1/3处，挺直腰背做深呼吸。

2 双手向后扶住椅座后方，上身靠向椅背，腰背部仍需保持平直。

3

双腿离地顺时针做踩脚踏车状，自然呼吸，直到双腿有酸痛感。

4

逆时针再做一遍。

5

回复到起始姿势，放松。

可促进下半身血液循环，改善久坐引起的腿麻、腿胀；训练腿力，增加耐力，预防下半身肥胖，美化腿部曲线。

*Boleyn*布琳**小叮咛**

每天重复做3~5回，持续1周，可以明显地消除腿部疲劳感，肌肉即会有紧致感。体力好的人可采快速踩法。

难易度：★★★

四、排毒·养颜
Poison Ejectment . Beauty Cultivation

职场美丽保鲜，无毒一身轻
Keep Beauty During Work

高脂肪的食物、办公室里电器的辐射、废气……越来越多的毒素充斥着我们的工作生活；痤疮、便秘、口臭、头疼……这些都是体内毒素积聚的信号。当健康面临威胁时，排毒就成了我们必须面对的课题。

瑜伽是顶级的排毒运动。<u>瑜伽体位法</u>能帮助血液循环，血液是毒素排出体外的载体，血液循环的加速、血液供氧量的增加，意味着毒素代谢速度的加快，同时激活和强化排毒脏器的功能，例如腺体、肾脏等等，加快毒素在脏器内的代谢。

体位法配合深呼吸，使体内氧气摄入量增加，有利于净化血液、排除毒素；使肝脏的郁气得以纾泄，对消除色斑功不可没；肾脏功能的加强得以彻底改善面色晦暗阴沉。外展的动作有利于心肺的功能，从而使你气血两旺、面色红润，还使结肠新陈代谢加强，消除便秘，清理肠胃。无需痛苦"洗肠"，也能做到无毒一身轻！

办公室一族们，来和瑜伽一起展开全面排毒行动吧！让你做个无毒"瑜美人"！

快乐瑜伽术
修行瑜伽，很多人认为要如同一个禁欲主义者一般，忠实地遵守"禁戒"与"惜戒"
但是有的瑜伽派别对于这种禁欲主义却存在着批判，例如密教瑜伽派。它们的代表经典上就曾有如下的一段记载：
"我的教（卡武拉派）就是建立在快乐和瑜伽术上。快乐，就是瑜伽术的目标。"
要修行瑜伽术的人不能享受神所创造的在世的快乐，这不是很滑稽的事吗？再说，要一般社会大众虔心求神，却不能享受瑜伽术带来的快乐，这不也太说不过去了？其实，瑜伽术就是欢喜，欢喜也正是瑜伽术的中心。依密教瑜伽派的观点来说，与其避开烦恼来修行瑜伽，还不如从正面去接受、观察这个烦恼。因此，他们的瑜伽术便真的很快乐。譬如一般的瑜伽，在原则上将"性"视为一大烦恼，可是却连教内的僧侣们也照样过着婚姻生活。所以比较起来，密教瑜伽的这种快乐观念，反而显得实际些。

英雄式
Hero pose

3 身体回正，身体再向左转，眼睛看左手，停留做五次腹式呼吸。

1 双脚并拢站好，右脚向前跨一大步，左脚在后伸直，脚尖踮起踩稳，重心放在右脚，膝盖弯曲呈直角状，调息预备。

2 双手张开与肩同高，身体向右转，眼睛看着右手，停留做五次腹式呼吸。

4 身体还原，双手合掌，吸气时手臂伸直向上举起，身体向后倾，头往后仰，眼睛看向天花板，挺胸，停留十秒。

5 吐气，手放下摆在身体两侧45°，扩胸，头往后仰，自然吸吐，停留十秒。

功效

伸展脊椎，有助于浊气排出体外，消除腿部赘肉与排除多余水分，刺激腿部血液循环，改善腰痛，矫正因姿势不当引起的脊椎扭曲，缓解腿部疲劳、酸痛、肿胀。

Boleyn 布琳 **小叮咛**

瑜伽的英雄式有一点难度，初学者不妨只练习步骤1的动作，只要保持上半身挺直，将重心放在下盘，时间停留越久，越能锻炼双腿的耐力。弯曲的膝盖尽可能保持直角，臀部压低与大腿膝盖同高，身体重心抓稳。

难易度：★★★★

三角伸展式
Extended Triangle Pose

1
身体呈站姿，双脚打开，膝盖伸直，
举起手臂与地板平行，手掌心朝下，
手指尖向两侧伸展。

2
转动脚趾，轻轻地将髋关节向
右侧移动。

3
吐气，将右手指向地
板，左手垂直往上走。

4
上半身尽量往上转向正面
（胸部及肋骨向上转正），
打开肩胛骨。身体下压。

5
恢复到步骤1的
姿势。

6

换个方向再做一次。

功效

刺激淋巴系统，筛检全身毒素，松弛情绪，伸展大腿、小腿、髋关节、膝关节及踝关节，协调下肢，开阔胸腔，伸展肩关节及脊椎。加速脑部血液循环，排出面部毒素，抑制脸部黑色素的产生。

Boleyn 布琳 **小叮咛**

练习左腿时呼吸5次后再换脚，练右腿时也呼吸5次，左右共10次，呈静态方式。做步骤1时，身体的重量应该平均分配于两脚中间。如果刚开始柔软度还不够好的人，手的位置可依各人的柔软度做调整，可选择放在膝关节或踝关节。

难易度：★★★

63

鹫式
Golden Eagle

1
身体站直，双臂前伸，右肘压左肘。

2
屈起肘。

3
两手腕相绕，然后手心相对合十。

4
双膝微屈，左膝搭右膝上。左小腿向后绕过右小腿，并用脚勾住。降低重心，保持20秒钟，自然地呼吸。

功效
刺激淋巴系统，松弛紧张情绪，降低胆固醇，改善血液循环和呼吸；调整腹部脏器功能，尤其是肾、肝、胰，促进脏器的排毒功能；灵活手腕、肘关节和肩关节，纤细手臂，并灵活柔软膝关节，强化腿部力量，提高平衡力。

Boleyn 布淋 **小叮咛**
共做3次。每做完一次，要注意放松腿部肌肉，按摩一下。

难易度：★★★

擎天式
Up Arms Pose

1

站立，双手十指相扣，手掌向上翻转，眼睛向上看自己的手背。

2

吸气，提起脚跟，好像你被往上拉，安全伸展全身，脚跟慢慢离地，眼睛平视前方。

3

吐气，脚跟着地，双手打开，眼睛望向天花板，调息。

功效

强壮腹直肌，伸拉肠道，刺激胃部，促进宿便的排出，清除体内垃圾，恢复好气色。

Boleyn 布琳 小叮咛

踮脚的时候注意保持平衡，下巴上抬，姿势很优美哦。

难易度：★★

单腿平衡式
Single Leg Balance Pose

1

直立，举起两臂，双掌合十，重心落在右腿上，左腿向后伸展。

2

慢慢向前倾斜，使头、身体和伸直的两臂在一条线上。同时向后举起左腿，使左腿与身体成一直线。尽你所能维持这个动作。

功效

矫正骨骼，有助于取得全身性的协调和平衡，能降低胆固醇和高血压。经常练习，还能培养人的自信、坚强等品质。

Boleyn 布琳 **小叮咛**

持续的时间越长越好，加油哦！

难易度：★★★★

树式
Tree Pose

1

身体呈站姿，将一脚轻放于
另一腿上。

2

双手合掌，肩膀
往下放松。

3

吸气，双手垂直往上延伸。
尽你所能维持这个动作。

功效

上提所有内脏器官，尤其可以防止子宫下
垂，激活生殖系统，还可以活络筋骨、养
气活血，促进体内毒素的排出。

Boleyn 布琳 **小叮咛**

此动作左边单脚吸吐来回5次，右边单脚呼吸来回各5
次，左右共吸吐来回10次，呈静态方式。收小腹，保持
身体的稳定。收腹夹臀，保持骨盆与脊柱正确的位置，
力量往身体中心线集中。

难易度：★★★

心轮呼吸法
Soul Breath

1
坐姿，吸气，展开手臂，头略向后仰。

2
双手于头顶合十，保持手臂伸直。

3
吐气，展开手臂，深呼吸。

4
吸气，举起手臂，掌心相对。

5
双手松动地握拳，先由右向左轻轻地击打胸腔，然后再由左向右。重复2~3次。

功效

轻轻捶击胸腔，既可以消除胀气，排出胸腔内的浊气，体内毒素通过肺部借由吐气排出体外，还可以锻炼手臂，使自己恢复良好的精神状态。长期坚持还能增加身体的抵抗力。

*Boleyn*布琳**小叮咛**

动作要轻柔，配合呼吸。若办公室里没有干净的铺了地毯的地板，也可以盘腿在椅子上进行练习。穿裙子的办公室美眉也可以回家再练。

难易度：★

　　"毒素"包括各种对健康不利的物质，既有外部环境带来的，也有身体产生的。中医认为体内湿、热、痰、火、食，积聚成"毒"，其中宿便是万毒之源；西医则认为人体内脂肪、糖、蛋白质等物质新陈代谢产生的废物和肠道内食物残渣的产物是体内毒素的主要来源。所以，忙碌的你，下班之后也要坚持练习瑜伽，并且选择相应的排毒食物，才是正确的清除毒素的方法。

办公室里的5大细菌陷阱 🍃 Five Bacteria Traps in Office

最新调查发现：办公室里桌面的细菌数量比厕所里的细菌数量高出400倍，"无所不在"的细菌困扰着办公一族。为了自身的健康，我们给你列出了一份杀菌清单。

陷阱一：电话

口水：在打电话的时候，经由嘴巴喷射到电话话筒上；**拨号键**：千万人的手依次触摸过；**听筒**：每个人都把它贴在自己的耳朵上。一来二往，电话机成为了一个潜在的"细菌炸弹"。

杀菌方案：

1.每天早上上班之前，先用干净的软布擦拭一遍电话机的机身和话筒。

2.每隔一个月，用消毒棉清洗整个电话机。

3.尽量避免让其他人使用你的电话。

陷阱二：大门

你有没有想过，每天出入你公司大门的同事、客户、物业人员、上门推销员、快递、送餐的……他们的上百双手接触的那个门把手同样也是你每天必须接触的。在这个使用频率颇高的门把手上，就会沾染着上万种来自不同地方的细菌，成为传播细菌的罪魁祸首。

杀菌方案：

进出大门以后，请记得洗手，或者用消毒纸巾擦拭自己的双手。如果有条件的话，请让公司的卫生清洁人员至少每隔两小时对大门和其他出入门的把手进行清洁消毒。

陷阱三：电脑键盘

由于键盘的构造，它的缝隙里有很多地方平时根本无法消毒或者清洗。我们每天用双手在布满细菌的键盘上敲击，有时候时间长达整个白天。

杀菌方案：

尽量不要在电脑桌前吃食物，是避免键盘滋生细菌最直接的办法。此外，定期擦拭你的键盘也是必不可少的。私人电脑请尽可能不让其他人使用。

陷阱四：计算器

与键盘一样，计算器的干净程度很少有人关心，而这些计算器上的病菌超乎你想像得多，完全有可能威胁到你的生命。

杀菌方案：

请申请独自使用一台计算器吧，这毕竟不是什么昂贵的办公用品。同键盘一样，也不要一边吃东西一边使用它。每天上班时先用消毒纸巾对它进行擦拭。

陷阱五：地毯

不要小看你脚下这块薄薄的毯子，它可是藏污纳垢的好地方。地毯的纤维之间有无数空隙，可以供各种各样的细菌容身。地毯的温度和湿度更能令细菌尽快繁殖生长，从而更大地危害到办公室人群的健康。

杀菌方案：

应当至少1个月请专门的地毯清洁人员对地毯进行一次整体清洗，3个月进行一次深层清洗。如果平时有打翻食物或者饮料在地毯上等现象，也应该立即对此处进行局部清洗。一些可以吸螨虫的强力吸尘器能对地毯进行有效的日常清洁。

五、上班e族10分钟瑜伽休息术
Ten Minutes Yoga Relaxing Art

即使办公室里有一万件事情在催，你也要每天留10分钟，专属自己，放空自己，因为，一杯装满水的杯子再也容不下其他，除非我们先把水倒掉。事物琐细、情绪垃圾、满身疲惫……清空，清零，然后才能精神抖擞地上路。我们还应该知道，健康是一份终生的事业，除了借助瑜伽解除暂时的疲惫之外，其实我们从瑜伽那能获得的应该有更多。强化、巩固瑜伽给你的身体带来的一点一滴的变化，相信每天10分钟，得到的将是现在和未来几十年的健康与幸福。当瑜伽成为一种习惯……

改变你的呼吸，就改变了你的身体；

改变你的呼吸，就改变了你的心灵；

改变你的呼吸，就改变了你的命运。

午休式：呼吸→轮盘式→头部对抗 *Noon Break Pose*

想让一下午都神采奕奕吗？这一组瑜伽体位法具有连贯性，能充分放松你劳累了一上午的身心。午间休息时间相对较长，不必担心中途会被其他同事或者突如其来的工作打断，上司也会体恤你的辛苦，不会批评你"不务正业"了。所以，把自己完全交给瑜伽吧。

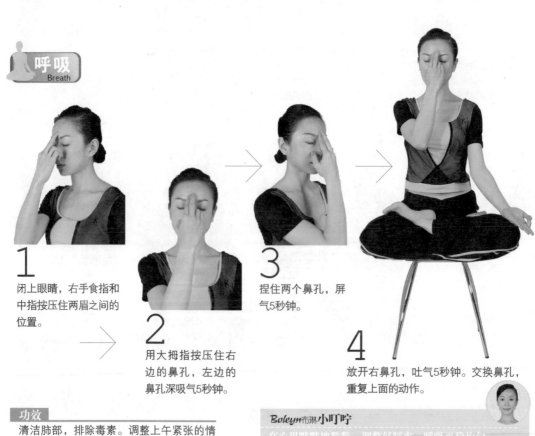

呼吸 Breath

1 闭上眼睛，右手食指和中指按压住两眉之间的位置。

2 用大拇指按压住右边的鼻孔，左边的鼻孔深吸气5秒钟。

3 捏住两个鼻孔，屏气5秒钟。

4 放开右鼻孔，吐气5秒钟。交换鼻孔，重复上面的动作。

功效
清洁肺部，排除毒素。调整上午紧张的情绪，让身心都放松下来。

*Boleyn*布琳**小叮咛**
在心里默默地数数，调整好频率，呼吸平稳均匀。

轮盘式
Turntable Pose

2 吐气，头部以逆时针方向向下
方旋转。

1 吸气，双眼轻闭，下巴微微内收，上
身挺直，两脚交叉盘坐在椅子上，左
手握住右肩，右手握住左肩，上半身
呈倒三角型，头向右旋转。

3 吸气，头部转回身体中央，下巴内
收，头顶向斜后方延伸。重复以上
动作。

功效

透过两手抱胸的动作，不仅能有疼爱自己、
放松心灵的效果，还能有效缓解头、颈、肩
累积的过多压力，起到舒缓压力的作用。

Boleyn 布琳 **小叮咛**

将头向上伸，需保持背部向上延伸，小腹需维持稳定内
缩。勿将下巴抬高，增加颈椎不必要的压力。

头部对抗
Head Withstand Pose

1

吸气，上身挺直，坐在桌前，两肩放松，两脚打开于坐骨同宽，小腹内缩，两手轻放于桌上，掌心向上。

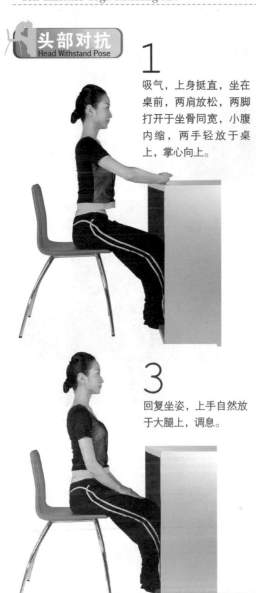

2

吐气，低头，缓慢地将头放于手上，保持10~15秒。

3

回复坐姿，上手自然放于大腿上，调息。

功效

透过手、头相抗的阻力，训练头部周围的肌肉群，舒缓头部神经，解除颈肩僵硬疼痛，并训练颈椎与胸椎间的深层肌肉。

Boleyn 布琳**小叮咛**
手与头都要有一定的对抗力道，才能达到预想的效果。

久坐族桌前式： 大腿前側伸展→美化小腿式→椅前拉脚筋式→站姿绕脚踝→前勾脚
Tableside Pose

长期久坐容易使下肢静脉受到压迫，血液回流不畅，引起腿部涨麻、酸痛、浮肿。没关系，在自己熟悉的办公桌前，或站或坐，全面针对少动的下半身，舒缓各种不适症状。

大腿前側伸展
Extended Front side Leg

1 身体侧坐在椅子上，左手扶住椅背保持身体的平衡及安全，右手叉在右侧腰上。

2 右手手心抓住右腿脚背，吸气，身体挺直而不弯腰驼背。

3 吐气，利用右手的力量将右脚跟靠近臀部，膝盖朝地面，大腿上方的股四头肌朝前方，双眼凝视正前方，下巴勿过度上扬或下压，保持正常呼吸。吐气，停在这个位置做三次深呼吸。

4

换个方向，再重复做一次。

功效

伸展大腿肌肉，缓解久站之后的疲劳感；促进腿部血液循环，预防坐骨神经痛，并有效改善下半身寒冷的症状。

Boleyn 布琳 **小叮咛**

若感觉吃力，可以用靠在椅背上的左手的力量来支撑身体，帮助肌耐力不足的人维持身体的平衡。

美化小腿式
Beautify Calf

瑜伽短消息

美国《时代》周刊2003年统计，美国经常练习瑜伽的人数为1000万。这意味着每八个美国成年人就有一个人练习瑜伽。
《时代》周刊继续调查，在美国，从学校、医院、律师事务所、政府机构、公司、飞机场、甚至监狱，瑜伽冥想室几乎和小礼堂及网吧一样，成了必不可少的公共设施。
在纽约Barnes&Noble书店的畅销书架上，除了《哈利波特》，就是各类介绍瑜伽的书。
某全球著名女性健身杂志整理了七种最受人们欢迎的热门运动，瑜伽名列第一。

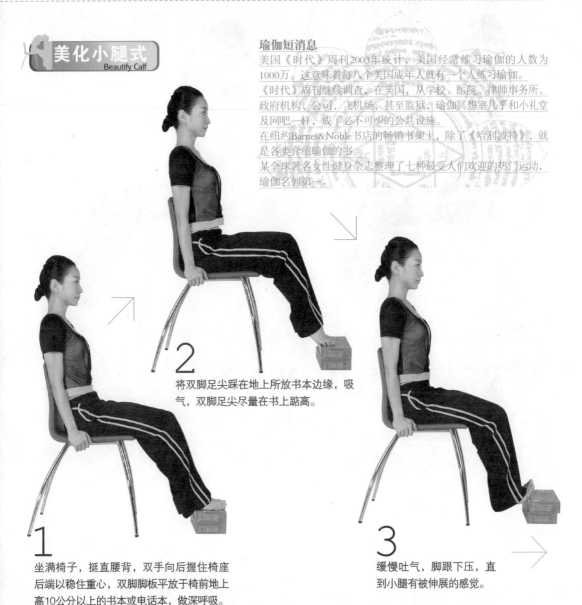

2 将双脚足尖踩在地上所放书本边缘，吸气，双脚足尖尽量在书上踮高。

1 坐满椅子，挺直腰背，双手向后握住椅座后端以稳住重心，双脚脚板平放于椅前地上高10公分以上的书本或电话本，做深呼吸。

3 缓慢吐气，脚跟下压，直到小腿有被伸展的感觉。

4

如此脚尖踮高、脚跟
下压重复数回。

5

还原。

功效

可预防小腿抽筋，促进血液循环，改善"萝卜腿"现象，美化小腿曲线，并能预防静脉曲张。

*Boleyn*布琳**小叮咛**

所垫书本要够高，必须使足跟下压时不会碰触到地板，小腿肌肉即会有紧致感，长期持续练习，塑形效果更佳。

所有的生命都是
一场伟大的瑜伽，
瑜伽就是用生命的和谐律动呼吸。

椅前拉脚筋式
Chair Foot Muscle Pull Pose

Boleyn布琳 **小叮咛**
一左一右为1次，腿部有明显伸展感，记住放在椅子上的腿要屈膝成直角。

1 面向椅子，双脚并拢立于椅子前方，双手自然下垂。

2 左脚踩在椅子上。

3 吐气，上身放松，缓慢前弯。

4 上身前弯至两臂平贴于椅座上，左腿屈膝成90°，缓慢呼吸。

79

站姿绕脚踝
Standing Cycle Ankles

1

站立，头部放正，双眼平视向前，下巴微微内收，两肩放松，左手轻放于桌子边缘，右手自然放于身体右侧。吸气，右脚抬起，脚掌伸直。

2

脚掌维持在相同高度，以脚踝为中心划圈，左右各5圈，自然呼吸。回到开始步骤，换边，重复以上动作。

功效

利用脚掌旋转的动作，刺激脚底的血液循环，能消除腿部疲劳，并有强化脚踝关节肌肉力量的作用。

*Boleyn*布琳**小叮咛**

练习时，尽量使脚踝得到充分的伸展。做完此式后，可以坐在椅子上，两脚抖一抖、拍一拍，能使练习效果更佳。

前勾脚
Forward Hook Foot

1 吸气，头部放正，双眼平视向前，下巴微微内收，右脚举高弯曲向左，左手勾住右脚趾，右手轻放于背后桌面。

2 吐气，右腿向前伸。

3 再吐气时，身体向右旋转，头看向右边，以右手扶住桌子边缘，停留约10秒。

4 换边，重复以上动作。

功效

利用勾脚弯曲的动作，按摩脚踝，增强血液流动量，加速新陈代谢，消除肿胀，还有协助排毒的作用。

Boleyn 布琳 小叮咛

左一右为1次，每回做2次，每天2回。尽量使抬起的脚伸直。骨盆需平整，面对前方。

当你了解到生命主要元素

神入（Empathy）的意义时，

你就能开始了解生命的奥秘。

久站族壁面式： 大腿训练→抬膝勾脚→膝盖旋转 *Facing Wall Pose*

长时间站立易导致膝痛的毛病出现，想要改善症状，除了依赖充分的休息，还可利用下列瑜伽组合来舒缓膝痛等不适感。任何时间地点，扶住墙壁，10分钟，恼人问题通通解决！有地面和墙壁稳固支撑的身体，也不用害怕会受到运动伤害啦！

大腿训练 Thigh Training

1 站立，头部放正，双眼平视向前，下巴微微内收，背部靠墙站立，两脚打开与肩同宽，与壁面维持一段距离。

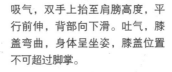

2 吸气，双手上抬至肩膀高度，平行前伸，背部向下滑。吐气，膝盖弯曲，身体呈坐姿，膝盖位置不可超过脚掌。

3 吸气，背部沿墙往上滑回原来位置，吐气，两手放下，回到开始步骤。

功效
训练大腿、股四头肌肌群，能强化下身机能，缓解膝痛不适，并有避免背部受伤、训练臀部肌群使其结实的效果。

Boleyn 布琳 **小叮咛**
练习时，尽量使背部贴附于壁面。可以两手拿矿泉水瓶练习，效果会更好。

抬膝勾脚
Raised Knee Hook Foot

1
站立，头部放正，双眼平视向前，下巴微微内收，小腹内缩，两脚并拢，左手弯曲，扶于壁面。

2
吸气，右脚向前抬起，脚掌拉直。

3
吐气，右脚掌上勾，维持8秒。

功效
透过本式动作，可以强化大腿前侧的肌四头肌，提升膝盖的支撑力，不仅能改善膝痛，还有美化臀部线条的作用。

Boleyn 布琳 **小叮咛**
练习时，尽量站直，不弯腰驼背。脚尖勾起时，需感觉脚跟向前顶出。在电梯里人少的时候也能做哦。

膝盖旋转
Knee Rotation

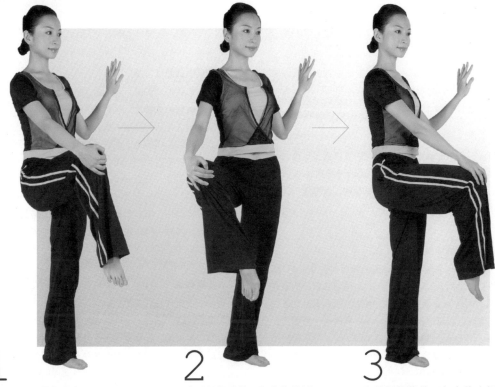

1
站立，头部放正，双眼平视向前，下巴微微内收，小腹内缩，左手扶于壁面，右脚向前抬起弯曲，右手扶于右脚膝盖。

2
右手握住膝盖，向身体外侧旋转，转6圈（停住不动时吸气，旋转时吐气）。

3
右手握住膝盖，向身体内侧旋转，转6圈（停住不动时吸气，旋转时吐气）。回到开始步骤，重复以上的动作。

功效
利用膝盖、小腿旋转的动作，强化膝关节机能，并能减轻大腿、膝盖的疼痛不适。

*Boleyn*布琳 小叮咛
练习时，尽量使小腿放松，不过度用力。做抬起动作时，注意臀部不要一高一低，呼吸做彻底。同样，电梯里、楼道里，只要有空余的时间，随时锻炼你的膝盖。

真男人，办公室内练习瑜伽 ● Practice Yoga in Office

在美国，超过350万的男性在练瑜伽，以瑜伽来保持身体最佳状况。

NBA森林狼队最有价值的球员加内特，每场球赛前一定先练习瑜伽的呼吸和专注。

由资深医药和体育记者坎布亚写的《真男人练瑜伽》(Real Man Do Yoga)，在美国掀起一股男性瑜伽风潮。愈来愈多的肌肉男愿意丢掉哑铃，盘腿坐下，闭上眼睛练习呼吸和伸展。

人到30，改练瑜伽

每次遇到工作瓶颈，四十出头的银行经理David，就会静静地走回办公室，鞋子一脱，练习他最爱的瑜伽招式。他从32岁开始练瑜伽，因为身体开始变差，脾气变坏，回家提不起精神，很容易疲倦，肠燥症、腹泻、便秘轮流困扰他。但是瑜伽完全改变了他的糟糕状况。

究竟是什么样的原因，让步伐快速、汲汲营营事业的刚强男性，愿意放下身段，学会慢下来观察自己的身体？

男性练习瑜伽的理由很简单：怕老，怕体力输人，怕自己不行。尤其现代男性压力大，身体耗损加速，许多人在30岁的黄金年龄，就开始体验到体力大不如前的窘境。事实上，男性30岁后的整体生理状况，正如抛物线般，每年以一个百分点递减。30岁以上的男人实在应该要踢掉椅子，常练习瑜伽，尤其是在工作间隙，用瑜伽来放松自己。

缓解压力的最佳方法

除了保持体态与健康，瑜伽最大贡献就是助你远离压力、心脏病和忧郁症。

英国伦敦大学研究指出，男人天性不服输，经常忽略压力，直到血压升高、心脏出现问题。慢性压力导致心脏病和癌症发生的概率，比吸烟和胆固醇过高等危险因子高6倍；而且中年人不易控制自己的情绪压力，濒临死亡的机会从15%上升至50%。瑜伽缓和延伸的肢体动作，可以柔软筋骨，让平常注重肌肉发展的男性，兼顾平衡协调的发展；呼吸调息的练习，则可让躁动的心情沉淀下来。

身心两修炼

瑜伽在雕塑外在形象的同时，还给人一种来自内心的力量。经过一段由内而外、由外而内的锻炼后，人们会惊奇地发现，在体重减轻了几公斤的同时，心态也已经迥然不同。女性练瑜伽多半是为了寻求更完美的身材，在做动作时也会对姿态的优美很在意；而男性对动作的美感不是非常注重，反而更能体会瑜伽修身养性的真谛。

练习瑜伽还能带给男人们另一个睡觉都要笑醒的好处。据资料显示，瑜伽的一些姿势对改善夫妻生活相当有效，如趋前弯腰、向后伸展、眼镜蛇姿势、肩膀站立姿势等，都能帮助伸展腰围和腹部的肌肉。减压、减肥、增添男人风采，有这么多令男人兴趣倍增的益处，男人们还有什么理由不快快来练瑜伽呢？

瑜伽"八一八"

●瑜伽是麦当娜与前夫分手的原因！麦姐的前夫是健身教练，六年前刚生下女儿的麦姐坚决地将这位前夫和健身器械请出了家门，以一天8小时的劲头练瑜伽。麦当娜给《W》杂志拍摄44张照片，其中一个就是瑜伽的高难度动作——"山猫卷饼"。

●妮可·基德曼的妹妹安东尼·基德曼是赫赫有名的电视瑜伽节目教练。为了销路，她坚持不懈地督促妮可练瑜伽。

●为美宝莲产品代言多年的克里斯蒂·特灵顿是模特圈里的常青树。据说她从自己的书《生活瑜伽》里赚了不少钱。

PART 4

OFFICE WORKERS
NATURE · BALANCE · CLEAN
YOGA DIET

上班族自然·均衡·净化

瑜伽饮食

瑜伽认为人吃东西就是从食物中获取"生命之气"，
而自然的绿色食品本身已从大自然中
获取了阳光、空气、水分，
所以瑜伽食物首选自然食物，
饮食均衡、不暴饮暴食也是瑜伽人食必须遵循的法则。

瑜伽提倡人们过健康、纯净的生活，饮食是人生活方式中的一部分，也是非常重要的一部分。瑜伽理论认为，人的生活习惯会直接改变人的饮食习惯，而饮食习惯的改变也会影响人的生活方式，最终影响人的肉体和精神状态。瑜伽理论中有这样一句话："我们吃是为了生存，而生存不是为了吃。"人们需要一个健康的身体、健康的心态，这样我们的灵魂便会寄居在一个健康的身体中，瑜伽的最终目的就是要使我们的身体和灵魂一样都很健康，让人们健康、快乐地活着。从古代的瑜伽饮食观看，瑜伽信徒遵循的是健康、自然、均衡的饮食规则。

瑜伽提供给人们一种生活的理念，这种理念无时无刻不在显示它的"均衡"观念。事实上，饮食均衡不光是身体、生活的需要，也同样是精神和心理的需要。不管何时，都应该保持均衡的饮食习惯，均衡地摄入人体真正需要的营养成分。

01 均衡地吃下每一餐
Have Each Dinner In Balance

在了解均衡饮食之前需要先摒弃或者澄清从前的种种对于饮食的错误观念，如青菜、水果吃得越多越好，吃素会营养不良，吃素才能练习瑜伽等等。事实上，人体所需要的营养量基本相同，人们应该做到吃任何食物都要适可而止。为了帮助人们选择正确的食物，瑜伽建议人们每天摄入的食物中不要缺少这样几类食物：新鲜的水果、蔬菜以及干果和谷类。

新鲜的水果、蔬菜含有各种丰富的维生素，能提供给人体需要的营养成分，还能帮助身体清除垃圾，排除身体毒素。而且经常食用新鲜的水果和蔬菜也能帮助

练习瑜伽的人们达到更好的效果，便于生命之气在身体中顺畅地流通。

各类干果能提供给人体足够的热量（脂肪），还有消除身体疲劳的作用。

谷类中的膳食纤维，虽然不能被人体消化利用，但并不妨碍它的健康价值。它对人体健康具有很多不可替代的作用，例如降糖降脂、解毒防癌、通肠化气、增强人体免疫力、提高抗病能力等。谷类还含有丰富的维生素和微量元素，有利于排毒养颜、增智醒脑、提神安眠。

瑜伽是一种生活的模仿。
当生活灵力展现它最佳品质时，
也是它最光辉与最有成就的时刻。

02 *Six Advantages*
自然均衡净化饮食的6种好处

瑜 伽体位法的神奇功效佐以科学的饮食，你想要达到的，不管是减压、塑身、排毒的效果都能不负你望。

1. 加速肠道蠕动及体内废物的排泄
自然均衡净化的饮食可以强化肠道蠕动正常，食物残渣、有毒物质、血液废物、老旧细胞很容易形成粪便，并顺利从肛门排出，有利体内的净化。

2. 捕捉新陈代谢的氧化自由基，延缓老化
自由基是因为新陈代谢、空气污染、幅射线、压力等因素而在身体生成，活性自由基会攻击人体的细胞，造成身体机能的受损。通过自然均衡净化饮食，可以经由抗氧化系统，排除自由基对人体的伤害。

3. 强化身体延展力，展现体态美
经常食用自然均衡净化的饮食，可以摄取到提升肌肉柔软度的营养素，因此在进行瑜伽运动时，肌肉所具有的弹性能帮你更容易展现体态之美。

4. 提高心肺功能，增加细胞含氧量
经常食用自然均衡净化的饮食，可以摄取到有益心肺功能的营养素，因此在进行瑜伽运动时，可运用深呼吸强化心肺功能，并增加细胞含氧量。

5. 提高EQ能力，摆脱忧郁情绪
自然均衡净化的饮食大部分是碱性食物，多多摄食会平衡体内的酸碱度、强化细胞的新陈代谢，增强自己的抗压力，会让大家的心情开朗，不会自寻烦恼、乱发脾气、整日愁眉不展，并能以积极化解消极，不再终日抑郁寡欢。

6. 抗压力强，提升解决问题能力
经常摄食自然均衡净化的饮食，会强化细胞的新陈代谢。一旦细胞的代谢功能正常，脑部细胞含氧量增加，思考会变得非常清晰，而且会以笑脸应对，自然提升解决问题的能力。

03 *Five Principles*
自然均衡净化饮食的5大原则

运动可以增强体能、加速细胞新陈代谢，而且可以愈活愈健康，但是过度运动及饮食不当都会造成身体负担。运动会消耗人体能量，为了补充体力，很多人会不自觉地摄取过量的蛋白质、醣类、脂肪，成为身体难以承受的负担。

为了净化体内多余毒素，提升瑜伽对体能的效果，必须重视均衡净化饮食，尤其是天然维生素及矿物质的摄取。

1. 六大类食物都要摄取
食物依照所含有营养素共可分为六大类，包括主食类、肉类及黄豆制品、蔬菜类、水果类、油脂类、奶类等，每天都要依据活动量、生理机能需求加以摄取。

2. 以清淡饮食为主
均衡净化饮食是要以少油、少盐、少糖、少食品添加物为原则，以减少身体消化、吸收的负担。如果吃太多油腻、太咸、太甜或太辛辣的食物，会使身体变得沉重，导致健康逐渐流失。

3. 多吃蔬菜水果
新鲜蔬果的营养价值很高，而且很天然，常食用不但可以养生保健，又可以补充水分，加上蔬菜水果含有丰富的维生素、矿物质及酵素，可以帮助消化，使营养容易被人体所吸收，能轻易地达到净化身体的目的。体内干净了，自然拥有粉粉嫩嫩的好气色哕！

4. 肉要吃，但要适量摄取
肉质含蛋白质及脂肪，消化及吸收需要耗费人体很多能量，摄取过量，会造成代谢的困扰，但也不能都不吃，所以最好的方式就是适量摄取。每餐多种蔬果、一种肉类即可，并且以鱼肉、白肉为主，红肉为辅。

5. 少油炸，多以煮、蒸、炒、凉拌为烹调方式
油炸食品会造成身体的负担，所以要尽量避免食用。水煮、蒸、炒、凉拌为最佳的烹调方式，不但不会对身体造成负担，也能够保留食物的原味及里头所含的营养素。

瑜伽信徒的饮食习惯
瑜伽信徒不大喝茶，要喝的话，则用松叶、柿叶、草药、果皮等有医药效果的东西代替饮料。他们多吃蔬菜，故不必多喝水。饮水过多，会稀释胃液，徒然消耗活力，降低血压，使身体浮肿，削弱抵抗力，容易感冒；如果头脑中有水分停滞，会增加其内压，妨碍血液循环，感觉头脑沉重，引发不快或焦躁的感觉，且容易出血，以致细胞的活力衰退。反之，水分缺乏则妨碍血液运行，使尿毒素滞留体内，亦不可不注意。瑜伽信徒时时啜取少量水，用小杯像品茗似的，细细体味，同时更训练自己长时间耐渴的能力。

瑜伽信徒进食时很少借助调味品，只要努力咀嚼体味食物的滋味，而且进餐时要心情愉快、集中注意力、端正姿势，细细地咀嚼。他们认为调味品一经使用，就会使食物中良质的矿物质消失，而且还会损害肝脏，引起肠胃障碍。保持食物的原味是最重要的，食物只有通过细嚼才能体味它原本的滋味。人类所以多蛀牙，就是因为吃多了酸性食物、软食或缺乏纤维与矿物质，还有咀嚼不足。

唾液是保持青春的荷尔蒙，多咀嚼能促进唾液分泌，而唾液腺的分泌又能促进其他分泌腺的分泌活动，而且唾液有杀菌力。而上下颚的运动对头脑是很好的刺激，能促进其发育，且有镇静心情的效果。有的虔诚的瑜伽信徒吃糙米饭，每口要反复咀嚼约一百次，直到食物成糊状，能毫不残留地自然咽下为止。

04 禁食一定要得当

Control Diet Properly

在瑜伽饮食文化中，禁食是一种洁净身心的方式。古时候，圣贤们认为禁食是人或动物自身对付病痛、恢复健康的最自然的方式。动物在受到伤害或者身体出现病痛时，人类在生病时往往都会没有胃口，这是自然反应。在正常的生活状态里，人们许多的精力都被消耗在消化系统，而当人或者动物禁食时，身体的精力更多的是用于身体、精神状态的恢复，有助于身体排毒，最终达到净化身体和心灵的作用。

以洁净身心为目的的瑜伽练习，也借鉴了禁食这一方法。不过瑜伽禁食法不是生活中随随便便的"不吃不喝"，它是瑜伽练习中的一种练习方式，是有助于身心调节的断食方式。在禁食期间人的意识状态会更加敏锐、清晰和稳定，这一期间是人体内脏"休息"的时间，也是清理身体毒素的过程。这样人的感官，如知觉、视觉、听觉、味觉都会变得更加敏感。

正确实行瑜伽禁食法

很多年以前的瑜伽修行者或是现在为数极少的瑜伽练习者们会采取禁食的方法来进行练习，他们禁食的时间长达几天甚至几十天，从而达到净化身心的目的。不过，现在这种较长时间禁食的方法不被广泛推广，如果禁食超过三天，就应该在有经验的瑜伽师的指导下来进行。

在禁食的过程中，人体的循环系统功能会减慢速度，因此有时可能在行动过快时出现头晕的现象，所以要学会保留身体的能量，尽量避免过快的行走或者十分强烈的练习，但可以做一些简单的瑜伽姿势、呼吸和冥想的练习。

建议人们尽量有规律地实行禁食，禁食的时间在一天或者两天就可以了，规律可以是一周一天或者一周两天。有经验的瑜伽师说"在季节交换的时候做禁食是个不错的选择"，因为在换季时也是调整内分泌系统、排除身体毒素的最佳时间。对于初学者常使用的瑜伽禁食法是：果汁禁食法和饮水禁食法，即在禁食期间只饮用果汁、蔬菜汁或者水。

不宜做禁食的人群

禁食虽然有诸多好处，但对于一些特殊人群是不适合的，如：孕妇、严重贫血以及生病、身体极其虚弱的人群等。

禁食不等于减肥

练习者特别是初学者不要把禁食当作减肥方法，瑜伽禁食法不是减肥的方法，而是洁净身心的方式。禁食次数太频繁也是生活不健康的表现，有的人在禁食而使身体的消化系统得到调整之后，甚至还会有体重增加的现象。在禁食期间有轻微便秘也属正常现象，不用太紧张，禁食期过后便秘现象会自然消退。

05

Keep Peace With Socks in Office

OFFICE里与零食健康共处

很少有女人能够逃脱零食的诱惑，办公室更是暗中的零食聚集地。既然无法戒掉这一嗜好，就让我们掌握与零食健康共处的秘诀。

1. 营养学家指出，话梅并不会产生过多胃酸，导致胃疼，因为它实际上属于碱性食品，属于瑜伽餐单里的范畴，但其含盐量高，摄入过多会增加患高血压的危险，所以每天吃几颗话梅足矣。为了防止你在不知不觉中吃过量，最好避免购买大袋包装。

2. 工作紧张者、吸烟者以及口服避孕药的女性，在正餐之间补充含丰富维生素C的橘子能保持良好的工作状态，因为他们对VC的需求比一般人大。此外，橘子还有助于维护心脏健康，并能让男性精子充满活力。

3. 专家认为坚果中含有植物性脂肪，能发挥润肠作用、清理体内废物、防止皱纹生成的作用，有助恢复皮肤的光洁美丽。只要我们尽量选择生食、轮换吃各种品种、不吃过量，就不会导至肥胖。

4. 最近的医学研究报告指出，全麦面包可以缓慢释放能量，每天两片就可以有效对抗压力，并降低患心血管病的危险；而高纤维无盐脆饼干则能在抑制脂肪吸收的同时帮助身体排除代谢废物。选择在正餐前两小时左右补充，是因为胃排空大约需要3小时，这样既不会因为来不及消化而影响正餐，也可以避免因过度饥饿在正餐时吃得太多。

5. 研究发现，锌不足是导致头发表层角化、干燥，头皮细胞脱落，形成头屑的一大原因。日常吃一些牛肉干或每周吃两三次新鲜牛肉能帮助摄取足够的锌，但要注意牛肉干不能大量食用，否则会增加体内的致癌物质。

6. 黑巧克力（不添加糖、奶）中含有能抗血栓的抗氧化剂的量是绿茶的4倍，牛奶巧克力中含量较少，而白巧克力中基本不含。哈佛大学的研究也证实，每周吃三四次黑巧克力的女性确实比很少吃巧克力的女性更不易患心脏病。

7. 日本科学家发现，常常嚼口香糖能降低口腔溃疡的发生率，他们还专门研制了一种治疗口腔溃疡的口香糖。而嚼口香糖能增强记忆力这一点则得到了英国和日本两国科学家的证实，他们都认为咀嚼口香糖能充分"运动你的脸"，加快头部血液循环，刺激大脑内的海马细胞，增强记忆力。

8. 北爱尔兰饮食与健康中心用酸奶来帮助人体排泄有毒物质，以减少患结肠癌的危险；阿根廷人用酸奶来改善结肠免疫力，预防腹泻；美国的医学专家发现酸奶能治疗厌食症；在巴西还研制出一种能降低胆固醇的大豆酸奶。

权威机构调查发现：

因饮食过量而营养不足的人有12亿。

健康地吃决不是把粮油肉菜

不负责任地分配给舌头和胃，

现代营养学家一再告诫大众，

均衡才是健康的不二法则。

鸟无语
我梦到肌肤与瑜伽的私语
他们说：
美丽，就在顷刻之间

疾病、鱼情、犹豫、疲弱、物欲、
谬见、精神不集中、注意力不稳定，
这些都是令意识分散的障碍。
此外还有忧虑、紧张、呼吸不匀等。
练习瑜伽可克服这一切。

——Patanjali《瑜伽经》

通过对器官生命力和它们性质和功能的冥想，
便能控制这些感官，
这个身体变得美丽、有力及强壮。

——Patanjali《瑞伽经》

最高的冥想是由真我与宇宙联合而产生真理、明辨、喜乐的知觉。
另一种冥想是由舍弃世俗和持久的锻炼达成，
可以消解那些旧的习性。

——Patanjali《瑜伽经》

通过瑜伽的锻炼，
杂染便会被知识之光去除，
生出明辨的智能。

——Patanjali《瑜伽经》

心境的平静来自友谊、仁爱、喜乐和平等心。
要平等对待快乐的与受苦的,
值得的和不值得的,
便能使意识纯洁。

——Patanjali《瑜伽经》

借着培养对快乐的人报以友善的态度，
对痛苦的人报以慈悲的态度，
对美德的人报以喜悦的态度，
对罪恶的人报以漠不关心的态度，
头脑就会变平静。

——Patanjali《瑜伽经》

No.　　　　　　　　Date

通过瑜伽练习，
体会每天瑜伽带来的变化，
我开始思考一些从来没想过的问题。

No.　　　　　　　　　　　　　　Date

这些问题似乎得不到答案，
但是我的心逐渐平静而透明了。

我感觉我跟自己更亲近了，
过去我似乎觉得自己都在为别人生活，
现在我知道了分享与关怀带来的快乐。

奇妙的是，
这些通过身体运动产生的心理变化，
会进一步地反映到我的行为中。

我的身体感觉更轻松，
我的脾气也莫名其妙地变好。

我开始想要给予别人我的爱心，
并且别人的情绪都会清楚地反映到我的感觉中。

我希望我周围的每个人都快乐，
而且我也越来越清楚自己活着的原因，
以及未来生活的方向。

瑜伽是女人的奇妙武器，
让我轻松游走于体内和体外，
让我更有能力面对未来。

让浮躁的心
被瑜伽收集
平和面对职场风云
彰显我的灵慧睿智

遇上瑜伽之后的
第一缕阳光
第一滴雨
第一次雾
在我眼中，都是别样风景

选择窗外射进来的阳光
调出一点绿色和生机
瑜伽的春天
就在我每天置身的办公室内

其实身边繁杂的声音一直都在
只要我闭上耳朵
冥想静心
就可以重逢童年的那只红蜻蜓
还有海中小岛上的缥缈歌声

经过瑜伽的洗礼
你看到爱和智慧
内心的平和和宁静从未离开
只是被我放在心灵的最底层了而已

No.   Date

虽然不是一切都能重新来过
但是曾经娇美的容颜
却不知不觉中
被瑜伽挽留住了远去的脚步……

清晨、午后、黄昏
安静、轻柔、舒缓
最质朴的形态
却又千变万化
就像在我身边相伴最久的恋人
有着最悠远的韵味